GW00771535

पूर्वराग

रूपा एण्ड कंपनी

पुखराज

गुलज़ार

प्रथम प्रकाशन : 1994

छठा प्रकाशन : 1998

प्रकाशक : **रूपा एण्ड कंपनी**
15, बंकिम चटर्जी स्ट्रीट, कलकत्ता 700 073
135, साउथ मलाका, इलाहाबाद 211 001
पी. जी. सोलंकी पथ, लैमिंगटन रोड, बम्बई 400 007
7/16, अंसारी रोड, नई दिल्ली 110 002

आवरण : आर्ट क्रिऐशन

कवि-चित्र : मेघना

टाइप सेटर्स : मानव कम्प्यूटर हाऊस
ए-160, विकास मार्ग, शकरपुर, दिल्ली-110 092
फोन-2224538

मुद्रक : अहद इन्टरप्राइज़ेज़
2609, बल्लीमारान, दिल्ली-110 006

रूपये : 195

ISBN 81-7167-226-4

बोस्की बिटिया,

कुछ ख़्वाबों के ख़त इनमें, कुछ चाँद के आयनें, सूरज की शुआंए हैं
नज़्मों के लिफ़ाफ़ों में कुछ मेरे तजुर्बे हैं, कुछ मेरी दुआएँ हैं

निकलोगे सफ़र पे जब ये साथ में रख लेना, शायद कहीं काम आएं

नज़्म-पत्री

अर्ज़ किया है

कुछ नज़्मों में 'कुछ और नज़्में' शामिल कीं, तो ये मजमूआ बना—पुखराज।

नज़्में जमा करना और उन्हें तरतीब देना अपने आप में बहुत बड़ा काम है। उम्र जिस तरतीब से चलती है, ज़िन्दगी उस तरतीब से वाक़य नहीं होती। लेकिन एहसास, जुनून और जज़बात के इन लम्हों को एक क़तार में खड़ा करना, मेंढकों से क़वायद करवाना है। तो फिर इन लम्हों को कैसे तरतीब में खड़ा किया जाए। फिर नज़्मों के नाम भी नहीं थे। नाम होते तो 'अलिफ़', 'बे' या 'अ', 'आ' की तरतीब से खड़ा कर देते।

नज़्मों के सचमुच नाम नहीं होते। उनके चेहरे और शक्लें, ख़ुशबू और ख़्वाबों की तरह होते हैं। कोई क्या नाम दे उन्हें? सब नज़्में कहलाती हैं। यह ऐसे ही है जैसे 'सोनां' की आँखों को, हंसी को, आवाज़ को अलग-अलग नाम दो। लेकिन इंसानों की तरह अगर सब के नाम रख भी दो, तो ''नैनसुख'' क्या सचमुच नैन सुख ही है?

लेकिन ''संजय'' मानते नहीं। उन्हें नज़्मों की पहचान के लिए नाम चाहिए। कम से कम, ख़्याल की ज़ात, राग के ठाठ और घराने का पता तो देते हैं। अपने ही एक शे'र से उठा के किताब को ये नाम दे दिया—'पुखराज'।

नज़्मों की ज़बान उर्दू है। लिखाई हिन्दी। उर्दू अगर दोनों लिपियों में लिखी जाए तो क्या हर्ज है? और भी तो ज़बानें हैं जो दो लिपियों में लिखीं जाती रही हैं, और अब भी लिखी जा रही हैं। जैसे पंजाबी।

''त्रिवेणी'' फिर दोहरा रहा हूँ इस मज़मूए में। जैसे कि पहले कह चुका हूँ, ये फॉर्म मेरी अपनी इजाद है। लोग बोर हो जाते तो छोड़ देता, लेकिन लोगों ने बहुत बार, बहुत जगहों पर ''त्रिवेणियाँ'' सुनाने के लिए कहा तो हौसला अफ़ज़ाई हुई। बड़ी सीधी-सी फॉर्म है, तीन मिसरों की। लेकिन इसमें एक ज़रा सी घुंडी है। हल्की-सी। पहले दो मिसरों में बात पूरी हो जानी चाहिए। ग़ज़ल के शे'र की तरह वो अपने आप में मुकम्मिल होती है। तीसरा मिसरा रौशनदान की तरह खुलता है। उसके आने से पहले दो मिसरों के मफ़हूम पर असर पड़ता है। उसके मानी बदल जाते हैं। या उनमें अज़ाफ़ा हो जाता है। 'त्रिवेणी' में एक शोख़ी का अंग भी है। ये योगासन मैं कर के दिखा सकता हूँ ज़बानी समझा नहीं सकता।

"त्रिवेणी" में एक त्रिवेणी उल्टी गिर पड़ी थी, जिसमें ऊपर का शे'र नीचे आ गया। बड़ी कोशिश की सीधा करने की। हुई नहीं। ज़रा हाथ लगवाइए।

कुछ लोगों का ज़िक्र करना चाहता हूँ। शुक्राने के लिए। मंसूरा अहमद, पाकिस्तान की शायरा हैं जिन्होंने पहले-पहल इन नज़्मों को जमा कर के *फ़नून* में जगह दी। दूसरे इस किताब के लिए मेहरा साहब का मशकूर हूँ कि उर्दू की शायरी, वो हिन्दी में छाप रहे हैं। वो बहुत भले आदमी हैं। और भले आदमी का कौन फ़ायदा नहीं उठाता !

गुलज़ार

त'आरुफ़

कुछ ऋषि और दरवेश थे जो सूक्ष्म में उतर गये, तो देखा—कहीं एक रिश्ता है, जो कण-कण में सरकता हुआ, पूरी कायनात को अपने में लिये हुए है . . .

बात अनुभव की थी, इसलिए तर्क में ढलती नहीं थी, तर्क तो तर्क को काटना जानता है, अंतर मन में उतरना नहीं जानता. . .

उन ऋषियों और दरवेशों ने जब कुछ संकेत किये—तो दुनिया को तलवार से तामीर करनेवाले हंस दिये, बोले—क्या कहते हो, कौन सा रिश्ता? सामने लाओ ! हम उसे तलवार की नोक से काट देंगे, जाति और मज़हब के नाम से काट देंगे, रंग और नस्ल के नाम से काट देंगे. . .

कहानी बहुत लम्बी है—ख़ामोश कण-कण में बहती हुई और सदियों की छाती में धड़कती हुई. . . और वह जो रिश्ता है, किसी की पहचान में नहीं आता था, अभी-अभी कुछ साइंसदान उसे उठा कर

अपनी प्रयोगशाला में ले गये, कितने ही यंत्र बिछा दिये और वह रिश्ता उन यंत्रों से गुज़रता रहा. . . मुस्कराता रहा कि आज उसे उठा कर लानेवाले, उसे पहचानने की कोशिश में थे. . .

और एक दिन कुछ साइंसदान थे, जो यंत्रों को हाथ में लिये गौर से देखने लगे कि कुछ है, जो पकड़ में आ रहा है। फिर एक दिन उन्होंने कानून के अधिकारियों को बुलाया, पांच-छह लोगों को, और एक बाड़ी में उगे हुए छोटे-छोटे पेड़ों के पास ले गये। एक तरफ दो पेड़ थे, साथ-साथ पनपते हुए। उनके पास पहुंचे तो साइंसदानों ने कानून के अधिकारियों से कहा–आप में से कोई एक आगे हो कर एक पेड़ को जड़ से उखाड़ दे।

उन लोगों के कड़े हाथों के लिए यह बहुत छोटी-सी बात थी। कोई एक आगे हुआ, उसने एक पेड़ के वजूद को हाथों में कस लिया और मिट्टी की छाती से निकाल दिया। कितनी ही पत्तियां बिखर गयीं जो उसने पैरों से मसल दीं। और साइंसदानों ने कहा—अब जो देखने की बात है वह कल होगी. . .

दूसरे रोज़ वही लोग आये और उन्हें बारी-बारी से, उस पेड़ के पास लाया गया, जो वहां अब अकेला खड़ा था। उसके पास साइंसदानों ने एक ग्राफ बिछा दिया था। कानून के अधिकारी बारी-बारी से आते रहे और साइंसदान उस ग्राफ को देखते रहे। ग्राफ एक-सा बनता

रहा, पेड़ की शक्ति को ऋषि और दरवेश जानते थे, अब विज्ञान की पकड़ में आने लगा है. . .

यह एक बहुत बड़े रिश्ते की गाथा है, जो अनंत काल से चलती हुई, सदियों की छाती में ख़ामोश धड़कती रहती है। किसी-किसी काल में बस इतना हुआ कि यह किसी-किसी शायर की छाती में भी हिलती रही और अक्षरों में उसका एक कंपन-सा उतरता रहा. . .

यह दुनिया के शायर हैं, बहुत थोड़े से, जो इसकी पहचान का धागा टूटने नहीं देते, और उन्हीं में से एक गुलज़ार हैं, जिन्होंने उसे इतना पहचाना है, कि उसकी बात अक्षरों में ढालते हुए उन्होंने, उस खामोशी की अज़्मत रख ली है, जो अहसास में उतरना जानती है, पर होठों पर आना नहीं जानती। एक ऐसी ख़ामोशी, जो अक्षरों को पा कर भी बोलना नहीं जानती ।

गुलज़ार एक बहुत प्यारे शायर हैं—जो अक्षरों के अंतराल में बसी हुई ख़ामोशी की अज़्मत को जानते हैं, उनकी एक नज़्म सामने रखती हूँ—

रात भर सर्द हवा चलती रही...
...रात भर बुझते हुए रिश्ते को तापा हमने

इन अक्षरों से गुज़रते हुए—एक जलते और बुझते हुए रिश्ते का कंपन हमारी रगों में उतरने लगता है, इतना कि आंखें उस कागज़

की ओर देखने लगती हैं जो इन अक्षरों के आगे खाली है और लगता है—एक कंपना है, जो उस खाली कागज़ पर बिछा हुआ है!

गुलज़ार ने उस रिश्ते के शक्ति-कण भी पहचाने हैं, जो कुछ एक बरसों में लिपटा हुआ है और उसे रिश्ते के शक्ति-कण भी झेले हैं, जो जाने कितनी सदियों की छाती में बसा हुआ है. . . कह सकती हूँ कि आज के हालात पर गुलज़ार ने जो लिखा है, हालात कें दर्द को अपने सीने में पनाह देते हुए, और अपने खून के कतरे उसके बदन में उतारते हुए—वह उस शायरी का दस्तावेज़ है, जो बहुत सूक्ष्म तरंगों से बुनी जाती है—

सुबह-सुबह इक ख़्वाब की दस्तक पर दरवाज़ा खोला, देखा
सरहद के उस पार से कुछ मेहमान आये हैं...

सचमुच कभी-कभी कोई शायर होता है, जो रिश्ते की इतनी डायमेशंस को पा लेता है, और उनकी सूक्ष्म तरंगों को इस क़दर पहचान लेता है कि वह रिश्ता, जो एक सपना बन कर आया था—वही सपना सरहद पर कत्ल हुआ है. . .

कायनात के शक्ति-कण, जो रिश्ता बनाये हुए हैं, उनकी शक्ति एक ही दिशा में प्रवाहित नहीं होती, वह लौट कर दूसरी दिशा में भी प्रवाहित होती है। चाँद-सूरज की रोशनी धरती को प्रभावित करती है, वह दिखाई देता है, लेकिन जो दिखाई नहीं देता, वह दूसरी दिशा है कि धरती की उदासीनता के कण चाँद-सूरज को किस तरह

प्रभावित करते हैं। गुलज़ार की कुछ नज़्मों में वह रिश्ता भी दिखाई देता है, जहां सीने में उलझी हुई कुछ सांसों से उसने देखा—"आज फिर चाँद की पेशानी से उठता है धुआं. . . "

और धरती की छाती पर जो गुज़रती है, उसे देख कर चाँद, आसमान की मैली-सी गठरी में छुप जाता है, और जब गठरी से वह एक हाथ निकालता है, तो हाथ में चमकता हुआ खंजर होता है। गुलज़ार ने शक्ति कणों के रहस्य को पाया है, हर रंग के रहस्य को और जिस तरह कागज़ पर उतार दिया, वह देखनेवाला है—

चाँद क्यूं अब्र की उस मैली-सी गठरी में छुपा था ?...
...चाँद ने गठरी से इक हाथ निकाला था,
दिखाया था चमकता हुआ खंजर

इन सूक्ष्म तरंगों में उतर जाने वाला, कदम कदम, मार्फत की उस मंज़िल पर पहुंच जाता है जिसे फना कहते हैं । उसी के किनारे पर, खाकी बदन को, रात के नीले से गुंबद से कोई ध्वनि उठती हुई सुनाई देती है और कहीं ठहरे हुए पानी पर सुबह की खुलती हुई आँख दिखाई देती है कि खाकी बदन की बाहें दो उलझे हुए मिसरों की तरह होने लगती है. . .

और फिर ताज्जुब नहीं होता, जब अपने खाकी बदन को लिये, उफ़क़ से भी परे, इन सूक्ष्म तरंगों में उतर जानेवाला गुलज़ार. . .

कहता है—

> वह जो शायर था चुप-सा रहता था
> बहकी-बहकी-सी बातें करता था...

फना के मुकाम का दीदार जिसने पाया हो, उसके लिए बहुत मुश्किल है, उन तल्ख घटनाओं को पकड़ पाना, जिनमें किसी रिश्ते के धागे बिखर-बिखर जाते हैं . . .

उस मुकाम से ख़ाकी बंदन तो लौटता है, लेकिन जानता है कि उसका 'कुछ' था, जो वहीं उस मुकाम पर छूट गया। जो साथ आता है, उसी 'कुछ' की कोशिश हो कर साथ आता है, और उस कशिश की मद्धम-सी लौ में, वह उस रिश्ते को देखता है, जिसके धागे कहीं से टूट गये लगते हैं. . .

उसने सूक्ष्म तरंगों का रहस्य पाया है, इसलिए मानना मुश्किल है कि यह धागे जुड़ नहीं सकते। इस अवस्था में लिखी हुई गुलज़ार की एक बहुत प्यारी नज़्म है, जिसमें वह कबीर जैसे जुलाहे को पुकारता है—

> मैंने तो इक बार बुना था एक ही रिश्ता
> लेकिन उसकी सारी गिरहें
> साफ नज़र आती हैं मेरे यार जुलाहे

लगता है—गुलज़ार और कबीर ने एक साथ कई नज़्मों में प्रवेश

किया है—और ख़ाकी बदन को पानी का बुलबुला मानते हुए, यह रहस्य पाया है कि वक्त की हथेली पर बहता यह वह बुलबुला है, जिसे कभी न तो समंदर निगल सका, न कोई इतिहास तोड़ पाया !

अमृता प्रीतम

इक सबब मरने का, इक तलब जीने की
चाँद पुखराज का, रात पशमीने की

रात कल गहरी नींद में थी जब
एक ताज़ा सफ़ेद कैनवस पर
आतिशीं लाल सुर्ख़ रंगों से
मैंने रोशन किया था इक सूरज

सुबह तक जल गया था वो कैनवस
राख बिखरी हुई थी कमरे में... !

पेन्टींग

दूर सुनसान-से साहिल के क़रीब
इक जवाँ पेड़ के पास
उम्र के दर्द लिये, वक़्त का मटियाला दुशाला ओढ़े
बूढ़ा-सा पॉम का इक पेड़ खड़ा है कब से
सैकड़ों सालों की तन्हाई के बाद
झुकके कहता है जवाँ पेड़ से : 'यार,
सर्द सन्नाटा है तन्हाई है,
कुछ बात करो'

लैण्डस्केप

बारिश होती है तो पानी को भी लग जाते हैं पाँव
दरो दीवार से टकरा के गुज़रता है गली से
और उछलता है छपाकों में
किसी मैच में जीते हुए लड़कों की तरह

जीत कर आते हैं जब मैच गली के लड़के,
जूते पहने हुए कैनवास के उछलते हुए गेंदों की तरह
दरो दीवार से टकरा के गुज़रते हैं
वो पानी के छपाकों की तरह

गली में

मैं खँडहरों की ज़मीं पे कब से भटक रहा हूँ

क़दीम रातों की टूटी क़ब्रों के मैले कुतबे
दिनों की टूटी हुई सलीबें गिरी पड़ी हैं
शफ़क़ की ठंडी चिताओं से राख उड़ रही है
जगह-जगह गुर्ज़ वक़्त के चूर हो गये हैं
जगह-जगह ढेर हो गयी हैं अज़ीम सदियाँ
मैं खँडहरों की ज़मीं पे कब से भटक रहा हूँ

यहीं मुक़द्दस हथेलियों से गिरी है मेंहदी
दियों की टूटी हुई लवें ज़ंग खा गयी हैं
यहीं पे माथों की रोशनी जलके वुझ गयी है
सपाट चेहरों के ख़ाली पन्ने खुले हुए हैं
हुरूफ़ आँखों के मिट चुके हैं

मैं खँडहरों की ज़मीं पे कब से भटक रहा हूँ
यहीं कहीं ज़िंदगी के मानी गिरे हैं और गिरके खो गये हैं

समय

चार तिनके उठाके जंगल से
एक बाली अनाज की लेकर
चंद क़तरे बिलकते अश्कों के
चंद फ़ाक़े बुझे हुए लब पर
मुट्ठी भर अपनी क़ब्र की मिट्टी
मुट्ठी भर आरज़ुओं का गारा
एक तामीर की लिये हसरत
तेरा ख़ानाबदोश बेचारा
शहर में दर-ब-दर भटकता है

तेरा कांधा मिले तो सर टेकूँ

ख़ानाबदोश

मुझको भी तरकीब सिखा कोई यार जुलाहे !

अकसर तुझको देखा है कि ताना बुनते
जब कोई तागा टूट गया या ख़त्म हुआ
फिर से बांध के
और सिरा कोई जोड़ के उसमें
आगे बुनने लगते हो
तेरे इस ताने में लेकिन
इक भी गांठ गिरह बुनतर की
देख नहीं सकता है कोई

मैंने तो इक बार बुना था एक ही रिश्ता
लेकिन उसकी सारी गिरहें
साफ़ नज़र आती हैं मेरे यार जुलाहे !

गिरहें

चाँद क्यूँ अब्र की उस मैली सी गठरी में छुपा था ?
उसके छुपते ही अंधेरों के निकल आए थे नाख़ून
और जंगल से गुज़रते हुए मासूम मुसाफ़िर
अपने चेहरों को खरोचों से बचाने के लिए चीख़ पड़े थे

चाँद क्यूँ अब्रकी उस मैली सी गठरी में छुपा था ?
उसके छुपते ही उतर आए थे
शाख़ों से लटकते हुए आसेब थे जितने
और जंगल से गुज़रते हुए
रहगीरों ने गर्दन में उतरते हुए दांतों से सुना था
पार जाना है तो पीने को लहू देना पड़ेगा

चाँद क्यूँ अब्र की उस मैली सी गठरी में छुपा था ?
ख़ून से लिथड़ी हुई रात के रहगीरों ने दोज़ानों पे गिरकर,
"रोशनी, रोशनी !" चिल्लाया था,
देखा था फ़लक की जानिब,
चाँद ने गठरी से इक हाथ निकाला था,
दिखाया था चमकता हुआ ख़ंजर ! !

एक दौर

शहर में आदमी कोई भी नहीं क़त्ल हुआ
नाम थे लोगों के जो क़त्ल हुए
सर नहीं काटा किसी ने भी कहीं पर कोई
लोगों ने टोपियां काटीं थीं, कि जिनमें सर थे

और ये बहता हुआ सुर्ख़ लहू है जो सड़क पर
सिर्फ़ आवाज़ें-ज़बा करते हुए ख़ून गिरा था

दंगे

सारा दिन मैं ख़ून में लथपथ रहता हूँ
सारे दिन में सूख-सूख के काला पड़ जाता है ख़ून
पपड़ी सी जम जाती है
खुरच खुरच के नाख़ूनों से
चमड़ी छिलने लगती है
नाक में ख़ून की कच्ची बू
और कपड़ों पर कुछ काले काले चकते से रह जाते हैं

रोज़ सुबह अख़बार मेरे घर
ख़ून में लथपथ आता है

अख़बार

अपनी मर्ज़ी से तो मज़हब भी नहीं उसने चुना था
उसका मज़हब था जो माँ बाप से ही उसने विरासत में लिया था

अपने माँ बाप चुने कोई ये मुमकिन ही कहाँ है
और ये मुल्क भी लाज़िम था, कि माँ बाप का घर था इसमें
ये वतन उसका चुनाव तो नहीं था ।

वो तो कुल नौ ही बरस का था उसे क्यूं चुनकर
फ़िरकादाराना फ़सादात ने कल क़त्ल किया... ।

विरासत

चौक से चलकर, मंडी से, बाज़ार से होकर
लाल गली से गुज़री है काग़ज़ की कश्ती
बारिश के लावारिस पानी पर बैठी बेचारी कश्ती.
शहर की आवारा गलियों में सहमी-सहमी पूछ रही है
हर कश्ती का साहिल होता है तो—
मेरा भी क्या साहिल होगा ?

एक मासूम-से बच्चे ने
बेमानी को मानी देकर
रद्दी के काग़ज़ पर कैसा ज़ुल्म किया है

मानी

हम सब भाग रहे थे
रिफ्यूजी थे
माँ ने जितने ज़ेवर थे, सब पहन लिये थे
बांध लिये थे....
छोटी मुझसे..... छः सालों की
दूध पिलाके, ख़ूब खिलाके, साथ लिया था
मैंने अपनी एक "भमीरी" और इक "लाटू"
पाजामे में उड़स लिया था
रात की रात हम गाँव छोड़कर भाग रहे थे
रिफ़्यूजी थे....

आग धुएँ और चीख़ पुकार के जंगल से गुज़रे थे सारे
हम सब के सब घोर धुएँ में भाग रहे थे
हाथ किसी आंधी की आंतें फाड़ रहे थे
आँखें अपने जबड़े खोले भौंक रही थीं
माँ ने दौड़ते दौड़ते ख़ून की क़ै कर दी थी !
जाने कब छोटी का मुझसे छूटा हाथ
वहीं उसी दिन फेंक आया था अपना बचपन...

लेकिन मैंने सरहद के सन्नाटों के सहराओं में अकसर देखा है
एक "भमीरी" अब भी नाचा करती है
और इक "लाटू" अब भी घूमा करता है... !"

भमीरी

उखाड़ दो अरज़-ओ-तूल खूँटों से बस्तियों के
समेटो सड़कें, लपेटो राहें
उखाड़ दो शहर का कशीदा
कि ईंट-गारे से घर नहीं बन सका किसी का

पनाह मिल जाये रुह को जिसका हाथ छूकर
उसी हथेली पे घर बना लो
कि घर वही है
और पनाह भी

तुम्हारे हाथों में मैंने देखी थी एक अपनी लकीर, सोनाँ

पनाह

सुबह से शाम हुई और हिरन मुझको छलावे देता
सारे जंगल में परेशान किये घूम रहा है अब तक
उसकी गर्दन के बहुत पास से गुज़रे हैं कई तीर मेरे
वो भी अब उतना ही हुश्यार है जितना मैं हूँ

इक झलक देके जो गुम होता है वो पेड़ों में,
मैं वहाँ पहुँचूं तो टीले पे, कभी चश्मेके उस पार नज़र आता है
वो नज़र रखता है मुझपर
मैं उसे आँख से ओझल नहीं होने देता
कौन दौड़ाए हुए है किसको ?
कौन अब किसका शिकारी है पता ही नहीं चलता

सुबह उतरा था मैं जंगल में
तो सोचा था कि इस शोख़ हिरन को
नेज़े की नोक पे परचम की तरह तान के मैं शहर में दाख़िल हूंगा

दिन मगर ढलने लगा है
दिल में इक ख़ौफ़ सा बैठ रहा है
के बालाख़िर ये हिरन ही
मुझे सींगों पर उठाए हुए इक ग़ार में दाख़िल होगा

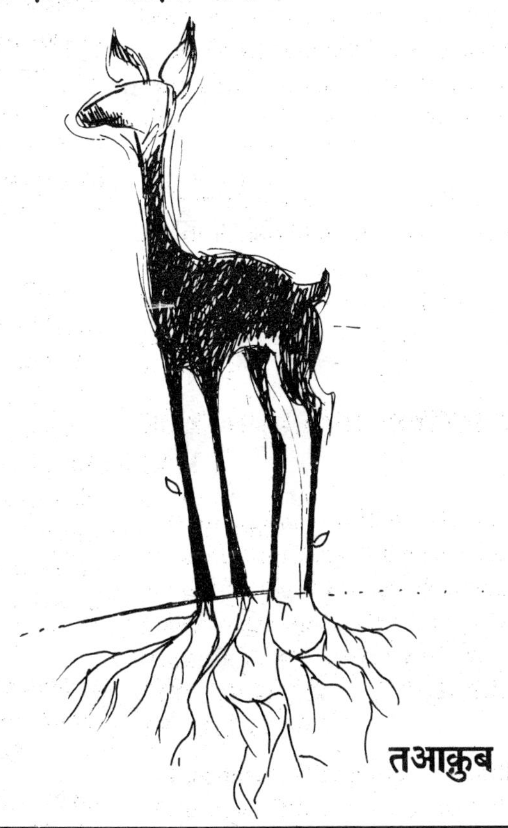

तआक़ुब

तकिये पे तेरे सर का वो टिप्पा है, पड़ा है
चादर में तेरे जिस्म की वो सोंधी-सी ख़ुशबू
हाथों में महकता है तेरे चेहरे का एहसास
माथे पे तेरे होटों की मोहर लगी है

तू इतनी क़रीब है कि तुझे देखूँ तो कैसे
थोड़ी-सी अलग हो तो तेरे चेहरे को देखूँ

फ़ासला

बंद शीशों के परे देख, दरीचों के उधर
सब्ज़ पेड़ों पे, घनी शाख़ों पे, फूलों पे वहाँ
कैसे चुपचाप बरसता है मुसलसल पानी

कितनी आवाज़ें हैं, ये लोग हैं, बातें हैं मगर
ज़हन के पीछे किसी और ही सतह पे कहीं
जैसे चुपचाप बरसता है तसव्वुर तेरा

झड़ी

सुबह सुबह इक ख़्वाब की दस्तक पर दरवाज़ा खोला, देखा
सरहद के उस पार से कुछ मेहमान आए हैं
आँखों से मानूस थे सारे
चेहरे सारे सुने-सुनाए
पाँव धोए, हाथ धुलाए
आँगन में आसन लगवाए....
और तन्नूर पे मक्की के कुछ मोटे मोटे रोट पकाए
पोटली में मेहमान मेरे
पिछले सालों की फ़सलों का गुड़ लाए थे

आँख खुली तो देखा घर में कोई नहीं था
हाथ लगाकर देखा तो तन्नूर अभी तक बुझा नहीं था
और होटों पर मीठे गुड़ का ज़ायक़ा अब तक चिपक रहा था

ख़्वाब था शायद !
ख़्वाब ही होगा ! !
सरहद पर कल रात, सुना है, चली थी गोली
सरहद पर कल रात, सुना है
कुछ ख़्वाबों का ख़ून हुआ था !

दस्तक

बे यारो मददगार ही काटा था सारा दिन
कुछ ख़ुद से अजनबी सा, कुछ तन्हा उदास सा
साहिल पे दिन बुझा के मैं लौट आया फिर वहीं
सुनसान सी सड़क के इस ख़ाली मकान में

दरवाज़ा खोलते ही मेज़ पर किताब ने
हल्के से फड़फड़ा के कहा—
"देर कर दी दोस्त ।"

दोस्त

एक बेचारी नज़्म के पीछे
सैकड़ों रोज़मर्रा के मसले
तेज़ नेज़े उठाके भागते हैं
मुंतशिर ज़हन के बियाबाँ में

दास्तानों की 'बीबा' शहज़ादी
लीर-लीरा-सा पैरहन पहने
हाँपती-काँपती बदहवास बेचारी
मुझसे आकर पनाह माँगती है

एक बेचारी नज़्म की इस्मत
सैकड़ों रोज़गार के मसले

बियाबाँ

नीले-नीले से शब के गुंबद में
तानपूरा मिला रहा है कोई

एक शफ़्फ़ाफ़ काँच का दरिया
जब खनक जाता है किनारों से
देर तक गूँजता है कानों में

पलकें झपका के देखती है शमएं
और फ़ानूस गुनगुनाते हैं
मैंने मुन्द्रों की तरह कानों में
तेरी आवाज़ पहन रक्खी है

मुन्द्रे

नींद की चादर चीर के बाहर निकला था मैं,
आधी रात इक फ़ोन बजा था....

दूर किसी मोहूम सिरे से
इक अनजान आवाज़ ने छूकर पूछा था :
''आप ही वो शायर हैं जिसने
अपनी कुछ नज़्में 'सोनां' के नाम लिखी हैं ?
मेरा नाम भी 'सोनां' हो तो ?

इक पतली सी झिल्ली जैसी ख़ामोशी का लम्बा वक़्फ़ा....
''मेरे नाम इक नज़्म लिखो ना !
मुझ को अपने इक छोटे से शेर में सी दो,
*'अंजल' लिखना....
शायद मेरी आख़िरी शब है
आख़िरी ख़्वाहिश है, मैं आप को सौंप के जाऊँ ?''
फ़ोन बुझाकर
धज्जी धज्जी नींद में फिर जा लेटा था मैं !

अंजल !
इसके बहुत दिनों के बाद मुझे मालूम हुआ था
दर्द से दर्द बुझाने की इक कोशिश में तुम,
कैंसर की उस आग में मेरी नज़्में छिड़का करती थीं....

नींद भरी वो रात कभी याद आए तो,
अब भी ऐसा होता है
एक धुआँ सा आँखों में भर जाता है

अंजल

कसैली रात के हाथों पे रख दी चाँद की मिश्री
ये दिन रुठा हुआ था धूल में लिपटा हुआ कब से
तिरे आँचल से चेहरा पोंछकर बहला लिया उसको
मैं अपने ही गले से लग गया, नाराज़ था ख़ुद से

तिरे ग़म का नमक चख कर
बड़ी मीठी लगी है ज़िंदगी, 'जानम'

नमकीन

रोज़ साहिल पे खड़े होके यही देखा है
शाम का पिघला हुआ सुर्ख़-सुनहरी रोग़न
रोज़ मटियाले-से पानी में यह घुल जाता है

रोज़ साहिल पे खड़े-होके यही सोचा है
मैं जो पिघली हुई रंगीन शफ़क़ का रोग़न
पोंछ लूँ हाथों पे और चुपके से इक बार कभी
तेरे गुलनार-से रुख़सारों पे छप-से मल दूँ—

शाम का पिघला हुआ सुर्ख़-सुनहरी रोग़न

शफ़क़

सूरज के ज़ख़्मों से रिसता लाल लहू
दूर उफ़क़ से बहते-बहते इस साहिल तक आ पहुँचा है
किरणें मिट्टी फाँक रही हैं
साये अपना पिंड छुड़ाकर भाग रहे हैं
थोड़ी देर में लहरायेगा चाँद का परचम

रात ने फिर रण जीत लिया है
आज का दिन फिर हार गया हूँ

युद्ध

कोई चिंगारी नहीं जलती कहीं ठंडे बदन में
साँस के टूटे हुए तागे लटकते हैं गले से
बुलबुले पानी के अटके हुए बर्फ़ाब लहू में
नींद पथरायी हुई आँखों पे बस रखी हुई है
रात बेहिस है, मेरे पहलू में लकड़ी-सी पड़ी है

कोई चिंगारी नहीं जलती कहीं ठंडे बदन में
बाँझ होगी वो कोई, जिसने मुझे जन्म दिया है

बांझ

एक लुढ़की हुई वादी में,
बहुत नीचे ख़लाओं से
जहाँ धुंधली फ़ज़ाओं का चलन है
ख़स्ता सा एक मकां मुझको विरासत में मिला है

जिस तरह सूखे के ज़ख़्मों से गिरा करती हैं पपड़ी
इसकी दीवारों से इस तरह से गिरता है पलस्तर
एक पांव पे खड़े सारे सतूं थक से गए हैं
खूर्दा दातों की तरह हिलती है हर ताक़ में ईंटें
मोच खाई हुई कुछ खिड़कियां तिरछी सी खड़ी हैं
कांच धुंधलाए हुए चटख़े हुए,
पहले बाहर की तरफ़ खुलती थीं अफ़लाक की जानिब
अब ये अन्दर भी नहीं खुलतीं, अगर सांस घुटे

अब्र, आलूद हैं अब,
और हवाओं में भी सूराख़ पड़े हैं

मेरा पैदाइशी घर है, मुझे रहना है यहीं पर

एक मैला सा फ़लक है तो मेरे सरपे अभी तक
डरता हूँ गिर न पड़े सोते में एक रोज़ कहीं

मकान

तेरी आँखों से ही खुलते हैं सवेरों के उफ़क़
तेरी आँखों से ही बंद होती है यह सीप की रात
तेरी आँखें हैं या सजदे में हैं मासूम नमाज़ी

पलकें खुलती हैं तो यूँ गूँजके उठती है नज़र
जैसे मंदिर से जरस की चले नमनाक सदा
और झुकती हैं तो बस जैसे अज़ाँ ख़त्म हुई हो
तेरी आँखें, तेरी ठहरी हुई ग़मगीन-सी आँखें

तेरी आँखों से ही तख़लीक़ हुई है, सच्ची,
तेरी आँखों से ही तख़लीक़ हुई है ये हयात

दिन-रात

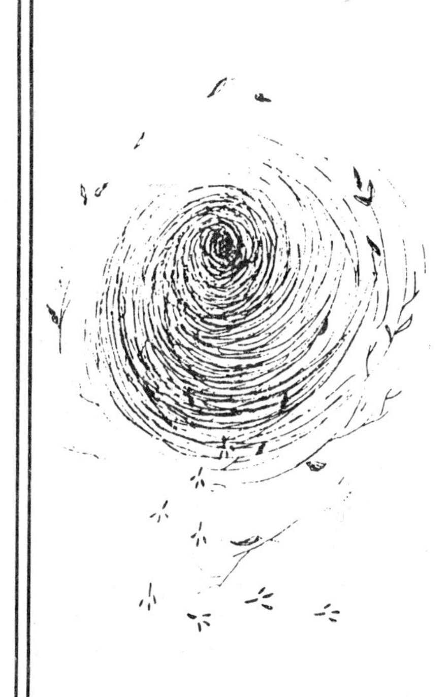

मैं कायनात में, सय्यारों में भटकता था
धुएँ में धूल में उलझी हुई किरण की तरह
मैं इस ज़मीं पे भटकता रहा हूँ सदियों तक
गिरा है वक़्त से कट के जो लम्हा, उसकी तरह

वतन मिला तो गली के लिए भटकता रहा
गली में घर का निशाँ ढूँढता रहा बरसों
तुम्हारी रूह में, अब जिस्म में, भटकता हूँ

लबों से चूम लो आँखों से थाम लो मुझको
तुम्हीं से जनमूँ तो शायद मुझे पनाह मिले

मैं

वो जो शायर था, चुप-सा रहता था
बहकी-बहकी-सी बातें करता था
आँखें कानों पे रखके सुनता था
गूंगी ख़ामोशियों की आवाज़ें
जमा करता था चाँद के साये
गीली-गीली-सी नूर की बूँदें
ओक में भरके खड़खड़ाता था
रूखे-रूखे-से रात के पत्ते
वक़्त के इस घनेरे जंगल में
कच्चे-पक्के-से लम्हे चुनता था

हाँ, वही, वो अजीब-सा शायर
रात को उठके कोहनियों के बल
चाँद की ठोड़ी चूमा करता था

चाँद से गिरके मर गया है वो
लोग कहते हैं ख़ुदकुशी की है

वो जो शायर था

कैसे चुपचाप ही मर जाते हैं कुछ लोग यहाँ
जिस्म की ठंडी सी
तारीक सियाह क़ब्र के अंदर !
ना किसी सांस की आवाज़
ना सिसकी कोई
ना कोई आह, ना जुम्बिश
ना ही आहट कोई

ऐसे चुपचाप ही मर जाते हैं कुछ लोग यहाँ
उनको दफ़नाने की ज़हमत भी उठानी नहीं पड़ती !

क़ब्रें

फ़लक पे उड़ते हैं ठंडे-ठंडे सुबुक जज़ीरे-से बादलों के
उफ़क़ के सिंदूरी-से किनारे पिघलके पानी में बह रहे हैं
वसीअ-तर हो गयी है वुसअत—

तुम्हारी बाँहों में डूबकर ऐसे हल्का-हल्का-सा लग रहा है
कि जिस्म से जैसे सैकड़ों जिस्म उतर गये हैं
कि रुह से जैसे जिस्म का बोझ हट गया है

ज़िस्म

और गाइड बता रहा था हमें

'शाहे-आला की ख़्वाबगाह थी ये
हीरे-मोती जड़े पलँग थे यहाँ
इन दरीचों पे मोतियों से बनी
चिलमनें टाँगी जाया करती थीं

वो निशाँ गिनके देखिये छत पर
नौ सौ पैंतीस काँच के फ़ानूस
रात में जगमगाया करते थे
जश्ने-शेर-ओ-शराब रहता था
रात-भर रक़्स चलते रहते थे
सात सौ बारह ऊँटों पर लदकर
मुल्के ईरां से आये थे क़ालीन
गुलबदन बेगमात—कहते हैं
पाँव रखतीं तो डूब जाते थे

रात-दिन उनके क़हक़हों से महल

तानपूरा-सा गूँजा करता था
वो ज़माने ही और थे साहब !'

कहते-कहते हुजूम को लेकर
बढ़ गया मिक़नातीस का टुकड़ा

अब अकेला खड़ा हूँ खँडहर में
एक झींगुर की आ रही है सदा

माज़ी

बस एक ही सुर में, एक ही लय में सुबह से देख—
देख, कैसे बरस रहा है उदास पानी
फुहार के मलमली दुपट्टे-से उड़ रहे हैं
तमाम मौसम टपक रहा है
पलक पलक रिस रही है ये कायनात सारी
हर एक शै भीग-भीगकर देख कैसी बोझल-सी हो गयी है
दिमाग़ की गीली-गीली सोचों से भीगी-भीगी उदास यादें टपक रही हैं

थके-थके-से बदन में बस धीरे-धीरे साँसों का गर्म लोबान जल रहा है

सीलन

ना जाने किसकी ये डायरी है
ना नाम है
ना पता है कोई :

''हर एक करवट में याद करता हूँ तुमको लेकिन
ये करवटें लेते रात दिन यूं मसल रहे हैं मेरे बदन को
तुम्हारी यादों के जिस्म पर नील पड़ गए हैं''

एक और सफ़्हे पे यूं लिखा है :
''कभी कभी रात की सियाही,
कुछ ऐसी चेहरे पे जम सी जाती हैं
लाख रगड़ूं,
सहर के पानी से लाख धोऊँ
मगर वो कालख नहीं उतरती !
मिलोगी जब तुम पता चलेगा
मैं और भी काला हो गया हूँ''
ये हाशिये में लिखा हुआ है :

''मैं धूप में जल के इतना काला नहीं हुआ था
कि जितना इस रात में सुलग के सियाह हुआ हूँ''

महीन लफ़्ज़ों में इक जगह यूं लिखा है उसने :
''तुम्हें भी तो याद होगी वो रात सर्दियों की
जब औंधी कश्ती के नीचे हमने
बदन के चूल्हे जलाके तापे थे, दिन किया था !
ये पत्थरों का बिछौना हरगिज़ ना सख़्त लगता जो तुम भी होतीं
तुम्हें बिछाता भी, ओढ़ता भी''

इक और सफ़्हे पे फिर उसी रात का बयां है :
''तुम एक तकिए में गीले बालों की भर के ख़ुशबू,
जो आज भेजो....
तो नींद आ जाए, सो ही जाऊँ...''

कुछ ऐसा लगता है जिसने भी डायरी लिखी है
वो शहर आया है गाँव में छोड़कर किसी को
तलाश में काम ही के शायद :

''मैं शहर की इस मशीन में फ़िट हूँ जैसे ढिबरी,
ज़रूरी है ये ज़रा सा पुर्ज़ा...
अहम भी है क्योंकि रोज़ के रोज़ तेल देकर,
इसे ज़रा और कस के जाता है चीफ़ मेरा...
वो रोज़ कसता है,
रोज़ इक पेंच और चढ़ता है जब नसों पर,
तो जी में आता है ज़हर खा लूं...
या भाग जाऊँ...''

कुछ 'उखड़े उखड़े' कटे हुए से अजीब जुमले !
''कहानी वो जिसमें एक शहज़ादी चाट लेती है
अपनी अंगुश्तरी का हीरा,
वो तुमने पूरी नहीं सुनाई''

''कड़ों में सोना नहीं है,
उन पर सुनहरी पानी चढ़ा हुआ है''
इक और ज़ेवर का ज़िक्र भी है :
''वो नाक की नथ ना बेचना तुम....
वो झूटा मोती है, तुम से सुच्चा कहा था मैंने,

सुनार के पास जाके शर्मिंदगी सी होगी''
''ये वक़्त का थान खुलता रहता है पल-ब-पल,
और लोग पोशाकें काटकर,
अपने अपने अंदाज़ से पहनते हैं वक़्त लेकिन...
जो मैंने काटी थी थान से इक क़मीज़
वो तंग हो रही है !''
''कभी कभी इस पिघलते लोहे को गर्म भट्टी में काम करते,
ठिठुरने लगता है ये बदन जैसे सख़्त सर्दी में भुन रहा हो,
बुख़ार रहता है कुछ दिनों से...''

मगर ये सतरें बड़ी अजब हैं,
कहीं तवाज़ुन बिगड़ गया है
या कोई सीवन उधड़ गई है
''फ़रार हूँ मैं कई दिनों से
जो घुप्प अंधेरे की तीर जैसी सुरंग इक कान से
शुरू हो के दूसरे कान तक गई है,
मैं उस नली में छुपा हुआ हूँ,
तुम आके तिनके से मुझको बाहर निकाल लेना...''

कोई नहीं आएगा ये कीड़े निकालने अब
कि इनको तो शहर में धुआँ देके मारा जाता है नालियों में !

डायरी

ख़ाली डिब्बा है फ़क़त, खोला हुआ, चीरा हुआ
यूँ ही दीवारों से भिड़ता हुआ, टकराता हुआ
बेवजह सड़कों पे बिखरा हुआ, फैलाया हुआ
ठोकरें खाता हुआ खाली लुढ़कता डिब्बा

यूँ भी होता है कोई ख़ाली-सा बेकार-सा दिन
ऐसा बेरंग-सा बेमानी-सा बेनाम-सा दिन

एक और दिन

मजलिस-ए-शाम उठे देर हुई
साज़ मुँह ढाँपके सब सो भी चुके
शामियाने में लटकते हैं अभी रात के जाले
दामन-ए-शब पे लटकता है अभी चाँद का पैवंद

पैवंद

रात भर सर्द हवा चलती रही
रात भर हमने अलाव तापा

मैंने माज़ी से कई ख़ुश्क सी शाख़ें काटीं
तुमने भी गुज़रे हुए लम्हों के पत्ते तोड़े
मैंने जेबों से निकालीं सभी सूखी नज़्में
तुमने भी हाथों से मुरझाए हुए ख़त खोले
अपनी इन आँखों से मैंने कई मांजे तोड़े
और हाथों से कई बासी लकीरें फेंकीं
तुमने पलकों पे नमी सूख गई थी सो गिरा दी
रात भर जो भी मिला उगते बदन पर हमको
काट के डाल दिया जलते अलाव में उसे

रात भर फूंकों से हर लौ को जगाए रखा
और दो जिस्मों के ईंधन को जलाए रखा
रात भर बुझते हुए रिश्ते को तापा हमने

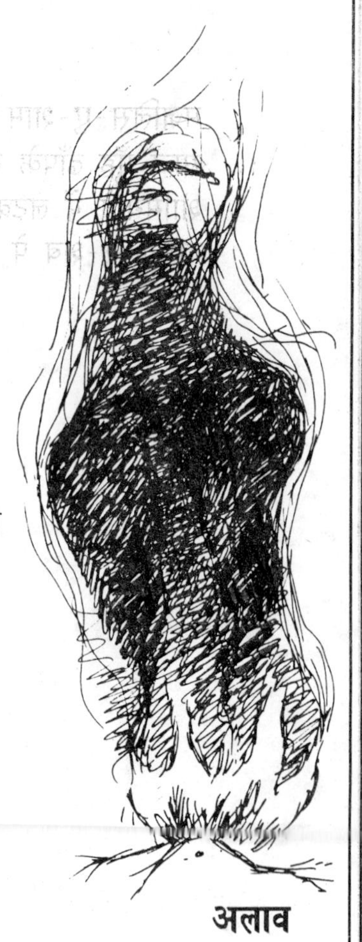

अलाव

तुमने सोचा तो होगा—देखा नहीं
ख़ुश्क सहरा पे जब बरस जाये
एक छलका हुआ, भरा सावन
देर तक रेत सनसनाती है

एक मोहूम-सी उम्मीद लिये
अबके शायद कहीं कोई कोंपल
जनम लेती हुई नज़र आये
बाँझ सेहरा की गोद भर जाये

बैहलावा

नज़्म उलझी हुई है सीने में
मिसरे अटके हुए हैं होंटों पर
लफ़्ज़ कागज़ पे बैठते ही नहीं
उड़ते-फिरते हैं तितलियों की तरह
कब से बैठा हुआ हूँ मैं, 'जानम',
सादा कागज़ पे लिखके नाम तेरा

बस तेरा नाम ही मुकम्मल है
इससे बेहतर भी नज़्म क्या होगी

नज़्म

अभी न पर्दा गिराओ, ठहरो, कि दास्तां आगे और भी है
अभी न पर्दा गिराओ, ठहरो !
अभी तो टूटी है कच्ची मिट्टी, अभी तो बस जिस्म ही गिरे हैं
अभी तो किरदार ही बुझे हैं
अभी सुलगते हैं रूह के ग़म, अभी धड़कते हैं दर्द दिल के
अभी तो एहसास जी रहा है

ये लौ बचा लो जो थकके किरदार की हथेली से गिर पड़ी है
ये लौ बचा लो यहीं से उठेगी जुस्तजू फिर बगूला बनकर
यहीं से उठेगा कोई किरदार फिर इसी रोशनी को लेकर
कहीं तो अंजाम-ओ-जुस्तजू के सिरे मिलेंगे
अभी न पर्दा ग़िराओ, ठहरो !

अभी न पर्दा गिराओ

कुछ भी क़ायम नहीं है, कुछ भी नहीं

रात-दिन गिर रहे हैं चौसर पर
औंधी-सीधी-सी कौड़ियों की तरह
हाथ लगते हैं माह-ओ-साल मगर
उँगलियों से फिसलते रहते हैं
धूप-छाँव की दौड़ है सारी
कुछ भी क़ायम नहीं है, कुछ भी नहीं

और जो क़ायम है, बस इक मैं हूँ
मैं जो पल-पल बदलता रहता हूँ

मुस्तक़िल

कल की रात गिरी थी शबनम
हौले-हौले कलियों के बंद होंटों पर बरसी थी शबनम
फूलों के रुख़सारों से रुख़सार मिलाकर
नीली रात की चुनरी के साये में शबनम
परियों के अफ़सानों के पर खोल रही थी
दिल की मद्धम-मद्धम हलचल में दो रुहें तैर रही थीं
जैसे अपने नाज़ुक पंखों पर आकाश को तोल रही हों

कल की रात बड़ी उजली थी
कल की रात उजले थे सपने
कल की रात—तेरे संग गुज़री

शबनम

छोटे थे, माँ उपले थापा करती थी
हम उपलों पर शक्लें गूँधा करते थे
आँख लगाकर-कान बनाकर
नाक सजाकर—
पगड़ी वाला, टोपी वाला
मेरा उपला—
तेरा उपला—
अपने-अपने जाने-पहचाने नामों से
उपले थापा करते थे

हँसता-खेलता सूरज रोज़ सवेरे आकर
गोबर के उपलों पे खेला करता था
रात को आँगन में जब चूल्हा जलता था
हम सारे चूल्हा घेर के बैठे रहते थे
किस उपले की बारी आयी
किसका उपला राख हुआ
वो पंडित था—
इक मुन्ना था—
इक दशरथ था—

बरसों बाद-मैं
श्मशान में बैठा सोच रहा हूँ
आज की रात इस वक़्त के जलते चूल्हे में
इक दोस्त का उपला और गया !

ईंधन

दो सोंधे-सोंधे से जिस्म जिस वक़्त एक मुट्ठी में सो रहे थे
लबों की मद्धम तवील सरगोशियों में साँसें उलझ गयी थीं
मुंदे हुए साहिलों पे जैसे कहीं बहुत दूर ठंडा सावन बरस रह था—
बस एक ही रूह जागती थी

बता तो उस वक़्त मैं कहाँ था ?
बता तो उस वक़्त तू कहाँ थी ?

बेख़ुदी

कंधे झुक जाते हैं जब बोझ से इस लंबे सफ़र के
हाँप जाता हूँ मैं जब चढ़ते हुए तेज़ चढ़ानें
साँसें रह जाती हैं जब सीने में इक गुच्छा-सा होकर
और लगता है कि दम टूट ही जायेगा यहीं पर

एक नन्हीं-सी मेरी नज़्म मेरे सामने आकर
मुझसे कहती है मेरा हाथ पकड़कर, मेरे शायर
ला, मेरे कंधों पे रख दे, मैं तिरा बोझ उठा लूँ

मसीहा

वक़्त को आते ना जाते ना गुज़रते देखा
ना उतरते हुए देखा कभी इलहाम की सूरत
जमा होते हुए इक जगह मगर देखा है

शायद आया था वो ख़्वाबों से दबे पाँव ही
और जब आया ख़्यालों को भी एहसास ना था
आँख का रंग तुलू होते हुए देखा जिस दिन
मैंने चूमा था मगर वक़्त को पहचाना ना था

चंद तुतलाए हुए बोलों में आहट भी सुनी
दूध का दांत गिरा था तो वहाँ भी देखा
बोस्की बेटी मेरी, चिकनी सी रेशम की डली
लिपटी लिपटाई हुई रेशमी तागों में पड़ी थी
मुझको एहसास नहीं था कि वहाँ वक़्त पड़ा है
पालना खोलके जब मैंने उतारा था उसे बिस्तर पर
लोरी के बोलों से इक बार छुआ था उसको
बढ़ते नाख़ूनों में हर बार तराशा भी था

चूड़ियाँ चढ़ती उतरती थीं कलाई पे मुसलसल
और हाथों से उतरती कभी चढ़ती थीं किताबें
मुझको मालूम नहीं था कि वहाँ वक़्त लिखा है

वक़्त को आते ना जाते ना गुज़रते देखा
जमा होते हुए देखा मगर उसको मैंने
इस बरस बोस्की अठारह बरस की होगी !

बोस्की

ख़लाओं में तैरते जज़ीरों पे चंपई धूप देख कैसे बरस रही है
महीन कोहरा सिमट रहा है
हथेलियों में अभी तलक तेरे नर्म चेहरे का लम्स ऐसे छलक रहा है
कि जैसे सुबह को ओक में भर लिया हो मैंने
बस एक मद्धम-सी रोशनी मेरे हाथों-पैरों में बह रही है

तिरे लबों पे ज़बान रखकर
मैं नूर का वो हसीन क़तरा भी पी गया हूँ
जो तेरी उजली धुली हुई रूह से फिसलकर तिरे लबों पर ठहर गया था

चंपई धूप

अनगिनत ज़िन्दा व मुर्दा तारे
अनगिनत जिंदा व मुर्दा से चाँद
गुनगुनाते हुए गैसों के उमड़ते हुए सेलाबों में
जुगनुओं की तरह बिखरे हुए लाखों सूरज
बेकरां ठंडी ख़लाओं की ख़मोशी का जहां
फ़ासले जिसके
कई अरबों में गिनने से भी कम पड़ते हैं—

''पाईनियर दस'' का सुख़नवर रहरो
ऐसी काईनात से उड़ता हुआ निकला है
तेज़ बिजली की सी हस्सास रगों से छूकर
अपनी पहचान की तस्वीरें इकठ्ठी किये जाता है,
रखे जाता है

जिस तरह छोटी सी इस गर्म ज़मीं पर
बेपनाह ज़िन्दा व बेजान ख़लाओं से गुज़रता शायर
अपनी पहचान की तस्वीरें इकठ्ठी किए जाता है
लिखे जाता है।

पाईनियर - दस

मैं अपने घर में ही अजनबी हो गया हूँ आकर
मुझे यहाँ देखकर, मेरी रुह डर गयी है
सहम के सब आरज़ुएँ कोनों में जा छुपी हैं
लवें बुझा दी हैं अपने चेहरों की हसरतों ने
मुरादें दहलीज़ ही पे सर रखके मर गयी हैं

मैं किस वतन की तलाश में यूँ चला था घर से
कि अपने घर में भी अजनबी हो गया हूँ आकर

अजनबी

छिल रहा है मेरा कंधा, ए ख़ुदा-वन्द... !
मिरा दायां कंधा,
और ये चीड़ की लकड़ी की सलीब
इतनी वज़नी है कि कंधा नहीं बदला जाता
इक ज़रा हाथ लगाकर इसे ऊपर कर दे

पाँव जमते नहीं कुहसार पे अब चढ़ते हुए
नंगे पैरों में बहुत चुभती हैं काटे हुए कीकर की जड़ें
गो कई बार चढ़ा हूँ इसी कुहसार पे मैं
तेरे पैग़ाम, तिरे नाम की तल्क़ीं के लिये
और अकेले में तिरे साथ कई रातें गुज़ारी हैं यहीं
गिड़गिड़ाया हूँ, तुझे पूजा है, बातें की हैं !

तूने फूंकों से हटाए हैं पहाड़ों के पहाड़
मेरे तलवे में लुढ़कता हुआ रोड़ा है, ज़रा उसको हटा दे !

साथ चलते हुए ये 'रोमी' सिपाही जो मुझे हांक रहे हैं
पल को रुकता हूँ तो उनकी ठोकर...

सीधी हड्डी पे जो लगती है तो उफ़... !
डरता हूँ चीख़ निकल जाए ना होटों से कहीं,
चीख़ निकलेगी तो ये लोग तिरे,
तेरे बीजे हुए आदम सारे...
मुझको देखेंगे हिक़ारत से भरी नज़रों से
और समझेंगे कि मैं झूठा था
कैसे सहमे हुए सब ढूंढ रहे हैं मेरे पीछे तुझको
मैं तिरा बेटा हूँ, ये उनसे कहा था मैंने
उनको उम्मीद है तू आएगा और मोजज़ा होगा कोई
तू बता आएगा ?
कब आएगा तू ?
मोजज़े कितने दिखाए मैंने तेरी ख़ातिर
अपने बेटे के लिए तू भी कोई मोज़जा कर दे !

कोई पत्ता नहीं हिलता तेरी मर्ज़ी के बिना,
कोई चिड़िया नहीं गिरती जो तेरा हुक्म ना हो,
मेरे माथे पे लगे ताज में देख,
एक मक्खी है,
बड़ी देर से काँटों में फँसी है,
भिनभिनाती है मिरे ज़ख़्मों पे,
अपनी उंगली से उठाकर इसे आज़ाद ही कर दे

मेरे माथे से टपकती हुई खूँ की बूंदें
अब तो आँखों पे चली आई हैं
तू बता आँख मैं झपकूँ कैसे ?

तू मुझे देख रहा है या नहीं ?
बोल, बता, कोई इशारा तो दिखा
या तुझे मेरे सिवा और बहुत काम हैं, मसरूफ़ है तू ?
मेरी बर्दाश्त अगर टूट गई,
गिर पड़ेगी यहाँ तेरी भी अना,
और ये चीड़ की लकड़ी की सलीब
इम्तेहां तेरा है, मेरा तो नहीं !

सिर पे लटके हुए शोले को ज़रा दूर तो कर,
तूने मर्ज़ी से जलाया है, बुझाया है ये सूरज अक्सर
आज बस मेरे लिये थोड़ा सा मद्धम कर दे,
मेरी आँखों में अंधेरा सा उतर आया है

मांस का लोथड़ा कंधे से लटकने लगा है अब तो,
और हड्डी से रगड़ती है ये लकड़ी तो सदा आती है
मेरे आमाल तो थे तेरे लिये,
और आमाल अगर मेरे नहीं,

ये नहीं मेरी सलीब
आके इसे, तू ही उठा !

थोड़ा सा फ़ासला बाक़ी है,
जहाँ तुझको ये मसलूब करेंगे सारे,
तू वहाँ आएगा क्या ?
मुझको उम्मीद नहीं
नस्ले आदम से कोई बदला लिया है तूने ?
बादशाहों की तरह तुझको भी आदत तो नहीं ऐसे तमाशों की कहीं ?
मैं तेरे रम्ज़ को समझा ही नहीं हूँ शायद !

सरे कुहसार वहां...
जब मैं पहुँचूंगा तो क्या होगा, ख़बर है तुझको ?
मुझको इस चीड़ के शहतीर पे मेख़ों से कसा जाएगा
मेरी माँ भी,
तू जिसे जानता है,
लोगों की भीड़ के पीछे कहीं बैठी होगी
ये वही लोग हैं जिनको मैंने
मोजज़ो की तिरे, तफ़सील सुनाई थी कभी
जिन को सुनकर वो सभी
तुझपे ईमान भी लाते रहे सहमे-सहमे

मैंने तो चाहा था वो तेरी मुहब्बत में जियें
उनकी आँखें थीं मगर तेरी कोई शक्ल ना थी
कान थे सबके, मगर तूने कभी बात ना की

मैंने तम्सीलें घड़ीं
तेरी आवाज़ सुनाने के लिये
और तिरी शक्ल दिखाने के लिये
वरना कैसे उन्हें समझाता कि तू क्या है !
अब भी मोहलत है कि तू अपनी अना ही के लिये
मोजज़ा कर ले कोई !
वरना तम्सील ही रह जाएगा तू !

बाद के वक़्तों में फिर
सिर्फ तम्सीलों की लोगों में परस्तिश होगी
और तम्सीलों की तसदीक़ की ख़ातिर...
फिर मिरे नाम से ख़ूँ होगा
जो तिरे नाम से इस बार हुआ !

(आर्थल कॉयस्लर की एक किताब ''काल गर्ल्स'' के दिबाचे से प्रेरित)

सलीब

बर्फ़ पिघलेगी जब पहाड़ों से
और वादी से कोहरा सिमटेगा
बीज अँगड़ाई लेके जागेंगे
अपनी अलसाई आँखें खोलेंगे
सब्ज़ा बह निकलेगा ढलानों पर

ग़ौर से देखना बहारों में
पिछले मौसम के भी निशाँ होंगे
कोंपलों की उदास आँखों में
आँसुओं की नमी बची होगी

मौसम

ये शायर जनम से जो साथ है मेरे
इसी ने चाँदनी की रेत भर-भरके मेरे सीने में डाली है
हमेशा ज़िंदगी से दर्द चुन-चुनकर मेरी आँखों पे मारे हैं
हमेशा भींचकर दाँतों से छीला है मेरी रुह को
इसी ने साँस की जलती ख़राशों को कुरेदा है
उँडेला है मेरे कंधों पे जलता खौलता शोरा
यही कहता था मुझको, 'दर्द से पहचान मिलती है'

ख़ुद अपने दर्द से घबरा गया है आज ये शायर
मुझे कहता है, 'चल आ, ख़ुदकुशी कर लें'

मश्वरा

धुँधलायी हुई शाम थी अलसायी हुई-सी
और वक़्त भी बासी था जब आया था शहर में
हर शाख़ से लिपटे हुए सन्नाटे खड़े थे
दीवारों से चिपकी हुई ख़ामोशी पड़ी थी
राहों में नफ़्स कोई, न परछाईं, न साया
और गलियों में, कूचों, में अँधेरा न उजाला
दरवाज़ों के पट बंद थे ख़ाली थे दरीचे
बस वक़्त के कुछ बासी-से टुकड़े थे, पड़े थे

मैं घूमता-फिरता था सरे शहर अकेला
दरवाज़ों पे आवाज़ लगाता था 'कोई है'
हर मोड़ पे रुक जाता था, शायद कोई आये
लेकिन कोई आहट, कोई साया भी न आया

ये शहर अचानक ही मगर जाग पड़ा है

आवाज़ें हिरासत में लिये मुझको खड़ी हैं
आवाज़ों के इस शहर में मैं क़ैद पड़ा हूँ

हरासत

मुझसे इक नज़्म क़ा वादा है, मिलेगी मुझको
डूबती नब्ज़ों में जब दर्द को नींद आने लगे
ज़र्द-सा चेहरा लिये चाँद उफ़क़ पर पहुँचे
दिन अभी पानी में हो, रात किनारे के क़रीब
न अँधेरा, न उजाला हो, न ये रात न दिन

जिस्म जब ख़त्म हो और रुह को जब साँस आये
मुझसे इक नज़्म का वादा है, मिलेगी मुझको

वादा

मोड़ पे देखा है वह बूढ़ा-सा इक पेड़ कभी ?
मेरा वाक़िफ़ है, बहुत सालों से मैं उसे जानता हूँ

जब मैं छोटा था तो इक आम उड़ाने के लिए
परली दीवार से कंधों पे चढ़ा था उसके
जाने दुखती हुई किस शाख़ से जा पाँव लगा
धाड़ से फेंक दिया था मुझे नीचे उसने
मैंने खुन्नस में बहुत फेंके थे पत्थर उस पर

मेरी शादी पे मुझे याद है शाख़ें देकर
मेरी वेदी का हवन गर्म किया था उसने

और जब हामला थी 'बीबा' तो दोपहर में हर दिन
मेरी बीवी की तरफ़ कैरियाँ फेंकी थीं इसी ने

वक़्त के साथ सभी फूल, सभी पत्ते गये
तब भी जल जाता था जब मुन्ने से कहती 'बीबा'
'हाँ, उसी पेड़ से आया है तू, पेड़ का फल है'

अब भी जल जाता हूँ, जब मोड़ गुज़रते में कभी
खाँसकर कहता है, 'क्यों, सर के सभी बाल गये ?'

सुबह से काट रहे हैं वह कमेटी वाले
मोड़ तक जाने की हिम्मत नहीं होती मुझको

रात चुपचाप दबे पाँव चली जाती है
रात ख़ामोश है, रोती नहीं, हँसती भी नहीं
काँच का नीला-सा गुंबद है, उड़ा जाता है
ख़ाली-ख़ाली कोई बजरा-सा बहा जाता है

चाँद की क़िरनों में वो रोज़-सा रेशन भी नही
चाँद की चिकनी डली है कि घुली जाती है
और सन्नाटों की इक धूल उड़ी जाती है

काश इक बार कभी नींद से उठकर तुम भी
हिज्र की रातों में ये देखो तो क्या होता है

एक और रात

रूह देखी है, कभी रूह को महसूस किया है ?
जागते जीते हुए दूधिया कोहरे से लिपटकर
साँस लेते हुए इस कोहरे को महसूस किया है ?

या शिकारे में किसी झील पे जब रात बसर हो
और पानी के छपाकों में बजा करती हों टलियाँ
सुबकियाँ लेती हवाओं के कभी बैन सुने हैं ?

चौदहवीं रात के बर्फ़ाब से इक चाँद को जब
ढेर-से साये पकड़ने के लिए भागते हैं
तुमने साहिल पे खड़े गिरजे की दीवार से लगकर
अपनी गहनाती हुई कोख को महसूस किया है ?

जिस्म सौ बार जले तब भी वही मिट्टी का ढेला
रूह इक बार जलेगी तो वो कुंदन होगी

रूह देखी है, कभी रूह को महसूस किया है ?

रुह देखी है कभी

गिरा दो पर्दा कि दास्ताँ ख़ाली हो गयी है
गिरा दो पर्दा कि ख़ूबसूरत उदास चेहरे ख़ला में तहलील हो गये हैं
ग़रीब आँखों से रूठकर एक-एक आँसू उतर गया है
सदाएँ अपने सुरों से उठकर चली गयी हैं

बस एक एहसास की ख़ामोशी है—गूँजती है
बस एक तकमील का अँधेरा है—जल रहा है

गिरा दो पर्दा

आओ फिर नज़्म कहें
फिर किसी दर्द को सहलाके सुजा लें आँखें
फिर किसी दुखती हुई रग से छुआ दें नश्तर
या किसी भूली हुई राह पे मुड़कर इक बार
नाम लेकर किसी हमनाम को आवाज़ ही दे लें

फिर कोई नज़्म कहें

फ़लक में देखे थे उड़ते-उड़ते
वो शहर शब के
वो सांवली रोशनी के पीछे से जगमगाते
जज़ीरे शब के
वो दो जज़ीरे
वो ''बनलता सेन सी सुवर्णा'' की काली काली बड़ी सी आँखें

हवानवरदी में आते जाते
हमेशा परवाज़ में मिली है
पिरोती रहती हैं शहर दो दो
कि जैसे आँखें पिरो के रखती हैं इक नज़र में
वो कहकशां के सुरों पे उड़ते
परिंदे शब के
नए नए एक और 'नोवा' से पैदा होते
सितारे शब के
दो रात बहनें
वो ''बनलता सेन'' सी ''सुवर्णा'' की काली काली बड़ी सी आँखें

जो सात सय्यारों ने बिलो के निथारे लम्हे
छलक के फिर कहकशां की गर्दिश में खो ना जाएं
बिखर ना जाएं...

हमेशा मिलती हो आस्माँ की उड़ान में तुम
कभी हवाओं के इस दबाव से नीचे उतरो
ज़मीं पे पाँव लगा के देखो
ज़मी पे भी हैं तुम्हारी आँखों से कुछ समन्दर
अगरचे इतने सियाह नहीं हैं
ना इतने गहरे... !

सुवर्णा

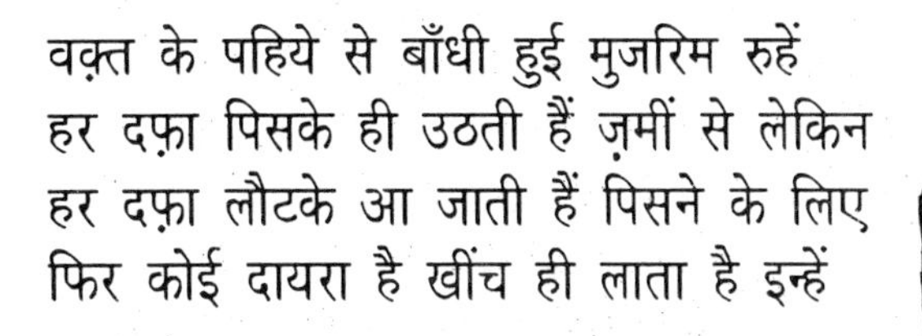

वक़्त के पहिये से बाँधी हुई मुजरिम रुहें
हर दफ़ा पिसके ही उठती हैं ज़मीं से लेकिन
हर दफ़ा लौटके आ जाती हैं पिसने के लिए
फिर कोई दायरा है खींच ही लाता है इन्हें

जिस्म पिसते भी हैं, कट जाते हैं, मिट जाते हैं
एक ये रुह है मिटती नहीं, कटती भी नहीं

रुहें

आड़ से होके घने पेड़ों के पीछे से कभी
और कभी शहर की दीवार से लगते-छुपते
कौड़ियालों से जो बच-बचके निकल आयी है रात
हाथ में चाँद की चमकीली अठन्नी लेकर
घर से भागी है किसी मेले में जाने के लिए
आह! ये छोटी-सी मासूम-सी बेचारी ये रात

जी में आता है कि बस हाथ पकड़कर इसको
सुबह के मेले में ले जाऊँ, खिलौने ले दूँ

एक अठन्नी

बस्ता फेंकके लोची भागा रोशनआरा बाग़ की जानिब
चिल्लाता : 'चल गुड्डी चल
पक्के जामुन टपकेंगे'

आंगन की रस्सी से माँ ने कपड़े खोले
और तन्नूर पे लाके टीन की चादर डाली

सारे दिन के सूखे पापड़
लच्छी ने चादर में लपेटे
'बच गयी रब्बा-किया-कराया धुल जाना था'

ख़ैरू ने अपने खेतों की सूखी मिट्टी
झुर्रियों वाले हाथ में लेकर
भीगी-भीगी आँखों से फिर ऊपर देखा

झूमके फिर उट्ठे हैं बादल
टूटके फिर मेंह बरसेगा

मेंह

सुनहरी कूँजें जब उड़ते-उड़ते उफ़क़ की टहनी पे बैठ जायें
तुम्हारे कंधों पे झुकके जब शाम बोसा ले ले
चिराग़ खोलें जब अपनी मद्धम उदास आँखें
तुम अपने चेहरे पे खींच लेना हया का आँचल

मैं हौले-हौले मना के आँचल उतार लूँगा
तुम्हारे होंटों के ठंडे-ठंडे गुलाब आँखों पे रखके मैं,
रात को सुनाऊँगा फिर उसी नींद की कहानी
वो नींद जो जागते मिली थी तुम्हारी आग़ोश के सुकूँ में !

लोरी

मिटा दो सारे निशाँ कि थे तुम
हिलो तो जुंबिश न हो कहीं पर
उठो तो ऐसे कि कोई पत्ता हिले न जागे
लिबास का एक-एक तागा उतारकर यूँ उठो कि आहट से छू न जाओ
अभी यहीं थे
अभी नहीं हो
ख़याल रखना कि ज़िंदगी की कोई भी सिलवट
न मौत के पाक साफ़ चेहरे के साथ जाये

पाकीज़ा

यहां से ज़रा आगे चलकर
फटी सी दरी पर
पुराना सा
इक आदमी सा मिलेगा
अधूरा सा चेहरा है
औंधा पड़ा, एक कासा संभाले,
भिखारी है पर मांगता कुछ नहीं

वहां से अगर दायें मुड़ जाओगे तो
दुकानों की लम्बी क़तारें मिलेंगी
महाजिर हैं सारे... !
वो लकड़ी के खोखे, दुकानें हैं उनकी
दुकानों के पीछे ही इंचों में खींचे हुए उनके घर हैं
ये बाहर से आए थे, मस्जिद में ही आके बसने लगे थे
वहां से निकाले गए हैं,
कि घर है ख़ुदा का
ख़ुदा के यहाँ इतनी जगह कहाँ है;
वगरना तो सारे जहां को पनाह देनी पड़ जाए उसको ।

तो हां... !
वो पता मैं बताने लगा था
उसी रास्ते पर, दुकानों से आगे,
वो मस्जिद मिलेगी
वो 'इब्ने सना उल्लाह सैय्यद वली ख़ाँ' की मस्जिद
वहां से ज़रा बायें मुड़ते ही नौ दस क़दम पर
बड़ा ढेर इक कूड़े करकट का तुमको नज़र आएगा
वो मुड़ने से पहले ही तुम सूंघ लोगे
वो घटता तो है, और हर रोज़ बढ़ता भी है
वो अब उस इलाक़े में
पहचान का इक निशां बन गया है।

मगर उस जगह तुमको रुकने की कोई ज़रूरत नहीं
ज़रा देर सीधे ही चलते चलो तुम
किताबों का बाज़ार आएगा आगे
वहीं एक ज़ंग आलूद छज्जे के नीचे से गुज़रोगे जब तुम
अंधेरी सी दायीं तरफ़ इक गली सी मिलेगी
गली भी नहीं
इसलिए कि वहाँ कुछ ग़रीबों ने घर से बनाए हुए हैं
वो घर भी नहीं, इसलिये कि वहां कोई दीवार या कोई खिड़की नहीं
कोई परदा नहीं है

गुज़रते हुए यूँ लगे तुमको शायद
किसी सस्ते नॉवेल का,
नंगा सा इक बाब पढ़ते हुए चल रहे हो

संभल कर निकलना, फिसलने का डर है
कि खाते पकाते वहीं पर हैं सारे
मगर उससे बढ़कर
ये डर है कहीं तुम
किसी ज़िन्दा, मुर्दे पे पाँव ना रख दो
कि इक मरता है और दो पैदा होते हैं रोज़ उस गली में

गली से निकलते ही आंखों पे जब एक छींटा पड़ेगा
चमकती हुई धूप का
तो ज़रा देर कुछ भी दिखाई ना देगा
ज़रा आँखें मलकर
अगर पार देखो
तो इक चौक होगा
वहाँ से बहुत पास है वो सड़क भी
कि जिस पर तुम्हें सारे, 'पी.एम.' के, 'जी.एम.' के बंगले मिलेंगे
उसी शाहराह पर,
बहुत आगे जाकर,

हवाई जहाज़ों का अड्डा नया बन रहा है

तुम्हें किससे मिलना था लेकिन ?
नहीं! वो नहीं जानता मैं !
मैं समझा कि अपने ही घर का पता पूछते तुम यहाँ आ गए हो !

एक पता

साँस लेना भी कैसी आदत है
जिये जाना भी क्या रवायत है
कोई आहट नहीं बदन में कहीं
कोई साया नहीं है आँखों में
पाँव बेहिस हैं, चलते जाते हैं
इक सफ़र है जो बहता रहता है
कितने बरसों से कितनी सदियों से
जिये जाते हैं, जिये जाते हैं

आदतें भी अजीब होती हैं

आदत

था तो सर सब्ज़, वो पौधा तो हरा था
और तनदुरूस्त थीं शाखें भी,
मगर उसका कोई क़द ना निकल पाया था
गो बहुत साल वो सींचा भी गया,
मेरे माली को शिकायत थी
कभी फूल ना आए उस पर।

और कई साल के बाद
मेरे माली ने उसे खोद निकाला है ज़मीं से
सारे बाग़ीचे में फैली हुई निकली हैं जड़ें,
बरसों पाले हुए रिश्ते की तरह
जिसकी शाख़ें तो हरी रहती हैं, लेकिन
उस पर, फूल फल आते नहीं

शाख़ें

जैसे झन्नाके चटख़ जाये किसी साज़ का तार
जैसे रेशम की किसी डोर से कट जाती है उँगली
ऐसे इक ज़र्ब-सी पड़ती है कहीं सीने में
खींचकर तोड़नी पड़ जाती है जब तुझसे नज़र

तेरे जाने की घड़ी सख़्त होती घड़ी है

रूख़सत

पोम्पीये, दफ़न था सदियों से जहां
एक तहज़ीब थी पोशीदा वहां
शेहर खोदा तो तवारीख़ के टुकड़े निकले

ढ़ेरों पथराए हुए वक़्त के सफ्हों को उलटकर देखा
एक भूली हुई तहज़ीब के पुर्ज़े से बिछे थे हर सू
मुनजमद लावे में अकड़े हुए इनसानों के गुच्छे थे वहां
आग और लावे से घबराके जो लिपटे होंगे

वही मटके, वही हांडी, वही टूटे प्याले
होट टूटे हुए, लटकी हुई मिट्टी की ज़बाने
भूख उस वक़्त भी थी, प्यास भी थी, पेट भी था

हुकमरानों के महल, उनकी फ़सीलें, सिक्के
राएज़ुलवक़्त जो हथियार थे उनके दस्ते
बेड़ियां पत्थरों की, आहनी पैरों के कड़े
और ग़ुलामों को जहां बांधके रखते थे
वो पिंजँर भी बहुत से निकले

एक तहज़ीब यहां दफ़्न है और इसके क़रीब
एक तहज़ीब रवां है जो मिरे विक़्त की है

हुक्मरां भी हैं, महल भी हैं, फ़सीलें भी हैं
जेल ख़ाने भी हैं और गैस के चेम्बर भी हैं
हीरोशीमा पे किताबें भी सजा रखी हैं
बेड़ियां आहनी, हथकड़ियां भी स्टील की हैं
और गुलामों को भी आज़ादी है, बांधा नहीं जाता ।

मेरी तहज़ीब ने अब कितनी तरक्की की है ।

पोम्पीये

देखो आहिस्ता चलो, और भी आहिस्ता ज़रा
देखना, सोच-समझकर ज़रा पाँव रखना
ज़ोर से बज न उठे पैरों की आवाज़ कहीं
काँच के ख़्वाब हैं बिखरे हुए तन्हाई में
ख़्वाब टूटे न कोई, जाग न जाये देखो

जाग जायेगा कोई ख़्वाब तो मर जायेगा

काँच के ख़्वाब

ख़्याल, साँस, नज़र, सोच, खोलकर दे दो
लबों से बोल उतारो, ज़ुबाँ से आवाज़ें
हथेलियों से लकीरें उतारकर दे दो
हाँ, दे दो अपनी 'ख़ुदी' भी कि 'ख़ुद' नहीं हो तुम
उतारो रुह से ये जिस्म का हसीं गहना
उठो दुआ से तो 'आमीन' कहके रुह दे दो

आमीन

तुम्हारे ग़म की डली उठाकर,
ज़ुबाँ पर रख ली है देखो मैंने
वो क़तरा-क़तरा पिघल रही है
मैं क़तरा-क़तरा ही जी रहा हूँ
पिघल-पिघलकर गले से उतरेगी आख़िरी बूँद दर्द की जब
मैं साँस की आख़िरी गिरह को भी खोल दूँगा—

कि दर्द-ही-दर्द की
मुझे ज़िंदगी से बस इक दुआ मिली है

क़तरा-क़तरा

हँसी की झाग उड़ाओ चमकती किरणों में
खिलेंगे रंग हसीं बुलबुलों के चेहरों पर
ये गोल-गोल बताशे उछालो झोली से
बरातियों से कहो लूटें, खिलखिलाके हँसें
नज़र में महके हसीं मुसकराहटों की झड़ी
लबों से ऊँचे हसीं क़द के क़हक़हे छूटें

हाँ, कोई आँसू अगर आँख से उबलने लगे
ज़मीं पे फेंकके बस पैर से मसल डालो
यह जिंदा बूँद है बेटी-दहेज माँगेगी

बताशे

जी चाहे कि
पत्थर मारके सूरज टुकड़े-टुकड़े कर दूँ
सारे फ़लक पर बिखरा दूँ इस काँच के टुकड़े
जी चाहे कि
लंबी एक कमंद बनाकर
दूर उफ़क़ पर हुक लगाऊँ
खींच के चादर चीर दूँ सर से
झाँक के देखूँ पीछे क्या है

शायद कोई और फ़लक हो

तलाश

रात में देखो झील का चेहरा
किस क़दर पाक, पुरसुकूँ, ग़मगीं
कोई साया नहीं है पानी पर
कोई सिलवट नहीं है आँखों में
नींद आ जाये दर्द को जैसे
जैसे मरियम उदास बैठी हो

जैसे चेहरा हटाके चेहरे का
सिर्फ़ एहसास रख दिया हो वहाँ

मरियम

कोई पत्ता भी नहीं हिलता, ना परदों में है जुम्बिश
फिर भी कानों में बहुत तेज़ हवाओं की सदा है

कितने ऊँचे हैं ये महराब महल के
और महराबों से ऊंचा वो सितारों से भरा थाल फ़लक का
कितना छोटा है मिरा क़द...
फ़र्श पर जैसे किसी हर्फ़ से इक नुक़्ता गिरा हो...
सैंकड़ों सिम्तों में भटका हुआ मन ठहरे ज़रा
दिल धड़कता है तो बस दौड़ती टापों की सदा आती है

रोशनी बंद भी कर देने से क्या होगा अंधेरा ?
सिर्फ़ आँखें ही नहीं देख सकेंगी ये चौगिर्दा,
रेंगते सांपों की फुंकार तो बंद होगी नहीं
मैं अगर कानों में कुछ ठूँस भी लूं
रोशनी चिंता की तो ज़ेहन से अब बुझ नहीं सकती
ख़ुदकशी एक अंधेरा है, उपाय तो नहीं

खिड़कियां सारी खुली हैं तो हवा क्यूं नहीं आती ?
नीचे सर्दी है बहुत और हवा तुंद है शायद

दूर दरवाज़े के बाहर खड़े वो संतरी दोनों
शाम से आग में बस सूखी हुई टहनियों को झोंक रहे हैं ।

मेरी आंखों से वो सूखा हुआ ढांचा नहीं गिरता
जिस्म ही जिस्म तो था, रुह कहां थी उसमें
कोढ़ था उस को ? तपेदिक़ था ? ना जाने क्या था
या बुढ़ापा ही था शायद
पसलियां सूखे हुए कीकरों के शाख़चे जैसे
रथ पे जाते हुए देखा था
चट्टानों से उधर
अपनी लाठी पे गिरे पेड़ की मानिंद खड़ा था

फिर यकायक ये हुआ...
सारथी, रोक नहीं पाया था, मुंह ज़ोर समय की टापें...
रथ के पहिये के तले देखा तड़प कर उसे ठंडा होते !
खुदकुशी थी ? वो समर्पण था ? वो दुर्घटना थी ?
क्या था ?

सब्ज़ शादाब दरख़्तों के वजूद
अपने मौसम में तो बिन मांगे भी फल देते हैं
सूख जाते हैं तो सब काट के

इस आग में ही झोंक दिए जाते हैं
जैसे दरवाज़े पे आमाल के वो दोनों फ़रिश्ते
शाम से आग में बस
सूखी हुई टहनियों को झोंक रहे हैं।

सिद्धार्थ की एक रात

इतनी मोहलत कहाँ कि घुटनों से
सर उठाकर फ़लक को देख सको
अपने टुकड़े उठाओ दाँतों से
ज़र्रा-ज़र्रा कुरेदते जाओ
वक़्त बैठा हुआ है गर्दन पर
तोड़ता जा रहा है टुकड़ों में

ज़िंदगी देके भी नहीं चुकते
ज़िंदगी के जो क़र्ज़ देने हों

क़र्ज़

न-न, रहने दो, मत मिटाओ इन्हें
इन लकीरों को यूँ ही रहने दो
नन्हें-नन्हें गुलाबी हाथों से
मेरे मासूम नन्हें बच्चे ने
टेढ़ी-मेढ़ी लकीरें खींचीं हैं

क्या हुआ 'शक्ल' बन सकी न अगर

मेरे बच्चे के हाथ हैं इनमें
मेरी पहचान है लकीरों में

ड्राईंग

मैं भी उस हॉल में बैठा था
जहां परदे पे इक फ़िल्म के किरदार,
ज़िंदा जावेद नज़र आते थे
उनकी हर बात बड़ी, सोच बड़ी, कर्म बड़े
उनका हर एक अमल
एक तम्सील थी सब देखने वालों के लिये
मैं अदाकार था उसमें
तुम अदाकारा थीं
अपने महबूब का जब हाथ पकड़ कर तुमने
ज़िंदगी एक नज़र में भर के
उसके सीने पे बस इक आंसू से लिख कर दे दी

कितने सच्चे थे वो किरदार
जो परदे पर थे
कितने फ़र्ज़ी थे वो दो, हॉल में बैठे साए

इमेजेज़

आज फिर चाँद की पेशानी से उठता है धुआँ
आज फिर महकी हुई रात में जलना होगा

आज फिर सीने में उलझी हुई वज़नी साँसें
फटके बस टूट ही जायेंगी बिखर जायेंगी
आज फिर जागते गुज़रेगी तेरे ख़्वाब में रात

आज फिर चाँद की पेशानी से उठता है धुआँ

अंदेशा

जी में आता है कि इस कान में सूराख़ करूँ
खींचकर दूसरी जानिब से निकालूँ उसको
सारी की सारी निचोड़ूँ ये रगें साफ़ करूँ
भर दूँ रेशम की जलाई हुई भुक्की इनमें

क़हक़हाती हुई इस भीड़ में शामिल होकर
मैं भी इक बार हँसूँ, ख़ूब हँसूँ, ख़ूब हँसूँ

घुटन

दिल ढूँढता है फिर वही फुर्सत के रात- दिन
बैठे रहें तसव्वुर- ए- जानाँ किए हुए

- गालिब

'दिल ढूँढता है फिर वही फ़ुर्सत के रात-दिन'

जाड़ों की नर्म धूप और आँगन में लेट कर
आँखों पे खींचकर तिरे आँचल के साये को
औंधे पड़े रहें, कभी, करवट लिये हुए

या गर्मियों की रात जब पुरवाइयाँ चलें
ठंडी सफ़ेद चादरों पे जागें देर तक
तारों को देखते रहें छत पर पड़े हुए

बर्फ़ीली सर्दियों की किसी रात में कभी
जाकर उसी पहाड़ के पेहलू में बैठकर
वादी में गूँजती हुई ख़ामोशियाँ सुनें

'दिल ढूँढता है फिर वही फ़ुर्सत के रात-दिन
बैठे रहें तसव्वुर-ए-जानाँ किये हुए'

दिल ढूँढता है

इस मोड़ से जाते हैं कुछ सुस्त-क़दम रस्ते, कुछ तेज़-क़दम राहें
पत्थर की हवेली को, शीशे के घरौंदों में, तिनकों के नशेमन तक
इस मोड़ से जाते हैं कुछ सुस्त-क़दम रस्ते, कुछ तेज़-क़दम राहें

सहरा की तरफ़ जाकर, इक राह बगूलों में खो जाती है चकराकर
रुक-रुकके झिझकती-सी, इक मौत की ठंडी-सी वादी में उतरती है
इक राह उधड़ती-सी छिलती हुई काँटों से, जंगल से गुज़रती है—
इक दौड़ के जाती है और कूदके गिरती है, अनजानी ख़लाओं में

उस मोड़ पे बैठा हूँ जिस मोड़ से जाती हैं, हर-एक तरफ़ राहें

मोड़

बज़्म-ए-मातम की गहमा-गहमी थी
एक जोश-ओ-ख़रोश था हरसू
" 'उस' को भी तो कोई ख़बर कर दो"
" 'उस फ़लाँ' को ख़बर करी कि नहीं"
शहर के फ़ोन जुड़ते जाते थे
एक कोलॉज बन रहा था कहीं

एक साहब ने रोते रोते कहा

"चेहरा देखो तो सो रहे हैं अभी
'भाई' कह दो तो जाग जायेंगे"

कुछ ज़ियादा ही मोतबिर से लोग
ज़िम्मेवारी से बात करते हैं :
"लाश कितने बजे उठायेंगे ?"
"थोड़ी बासी दही मँगा लेना"
"आख़िरी दीद कर लें अब, कह दो"
"देख लो एक फ़्लाइट दिल्ली की--
और कुछ लोग आने वाले हैं"

कोई गाड़ी रुकी है फिर आके
सारे चेहरे पलट गये हैं उधर
दूर से ऊँचे हो गये हैं विलाप
एक-दो लोग थामने के लिए
बढ़ गये हैं सभी से कुछ आगे
और इस मौक़े के रटे जुमले
''सबको एक दिन तो जाना है''
''आयी को कौन टाल सकता है ?''
''सब्र-सब्र धीर करो''

रोने वाले ने रोक कर रोना
सुबकियाँ लेते-लेते फिर पूछा :
''कब हुआ ? –कैसे ? –किस तरह ये हुआ ...?
कल तो ठीक ठाक लगते थे...
पिछले मंगल मिले तो थे मुझसे
हँसकर कहने लगे...
'अब के भी घर न आये तो...
मुँह नहीं देखूँगा कभी'
फूटकर फिर से रो पड़ा कोई
"सब्र-सब्र-धीर करो"

रोयें भी तो कहाँ तलक रोयें
भूख से पेट गुड़गुड़ाने लगे
बासी होने लगा है अब माहौल
अब उठाओ भी ले चलो इसको

गहमा-गहमी थी ख़ूब मरघट में
कौन है, किसकी लाश आयी है
कुछ अहम लोग भी दिखायी देते हैं
''रास्ते में ख़बर मिली मुझको
मैं तो सीधा यहीं चला आया''
''आपका केस था कचहरी में ?''
''फिर से तारीख़ पड़ गयी उसकी''
''मैं तो बस दंग रह गया सुनके
सेहत अच्छी थी आज भी, टच-वुड''
''और लकड़ी उठाके लाश पर रख दो''

लौट आये जलाने वाले सभी
फिर नहाये उठाने वाले सभी
''लेना-देना चुका गया,'' बोले
हाथ मलके ज़मानेवाले सभी

राख जब ठंडी हो गयी होगी
तो कनस्तर में भरके ढेर-का-ढेर
पीछे खाड़ी में फेंकने के लिए
दो रुपयेऔर दे के भंगी को
एक लंबी-सी साँस ली होगी
''मिट्टी में मिल गयी मिट्टी''

कल कलेंडर में जब सुबह होगी
''मैं कहीं नहीं हूँगा
मैं जो 'हूँ'
'था' हो चुका हूँगा''

अलविदा

मैं छाँव-छाँव चला था अपना बदन बचाकर
कि रुह को एक ख़ूबसूरत-सा जिस्म दे दूँ
न कोई सिलवट, न दाग़ कोई
न धूप झुलसे, न चोट खाये
न ज़ख़्म छूए, न दर्द पहुँचे
बस एक कोरी कुँवारी सुबह का जिस्म पहना दूँ रुह को मैं

मगर तपी जब दोपहर दर्दों की, दर्द की धूप से जो गुज़रा
तो रुह को छाँव मिल गयी है

अजीब है दर्द और तस्कीं का साँझा रिश्ता
मिलेगी छाँव तो बस कहीं धूप में मिलेगी

छाँव - छाँव

खड़खड़ाता है आह सारा वदन
खपच्चियाँ जैसे बाँध रक्खी हैं
खोखले बाँस जोड़ रक्खे हों

कोई रस्सी कहीं से खुल जाये
रिश्ता टूटे कहीं से जोड़ों का
और बिखर जाये जिस्म का पिंजर

इस बदन में ये रुह बेचारी
बाँसुरी जानकर चली आयी
समझी होगी मिलेंगे सुर इसमें

मायूसी

मिरे साथ रहता था साया हमेशा
मगर इन दिनों हम अलग हो गए हैं

उसे ये शिकायत थी मुझसे
कि उसको मिटाने की ख़ातिर ही मैं यूं
अंधेरों में चलता हूँ
ताकि वो मेरा त'आकुब ना कर पाए–लेकिन,
मुझे ये शिकायत थी, मैं रोशनी में
अकेला भी चल सकता था–
अंधेरे में जिस वक़्त
मुझको ज़रूरत थी अहबाब की,
वो ग़ायब था,
उस का निशां तक नहीं था

मिरे साथ रहता था साया मिरा
शरीक-ए-हयात और साथी मिरा
मगर इन दिनों हम अलग हो गए हैं

इलादगी

ज़रा सी गर पीठ नंगी होती
फटे हुए होते उसके कपड़े
लबों पे गर प्यास की रेत होती
और एक दो दिन का फ़ाक़ा होता

लबों पे सूखी हुई सी पपड़ी
ज़रा सी तुमने जो छीली होती
तो ख़ून का एक दाग़ होता,

तो फिर ये तस्वीर बिक ही जाती

मॉडल

मसलके आँखें, छटकके बालों के बिखरे छल्ले
सँवारकर पैरहन की शिकनें
मैं रोज़ जिस वक़्त जागता हूँ
सहर की चंचल हसीन लड़की
किनारा साड़ी का ठूंस लेती है यूँ कमर में
कि जैसे अब मुझसे लड़ पड़ेगी

शरीर-चंचल-हसीन लड़की

चंचल

किस क़दर सीधा सहल साफ़ है रस्ता देखो
न किसी शाख़ का साया है, न दीवार की टेक
न किसी आँख की आहट, न किसी चेहरे का शोर
दूर तक कोई नहीं, कोई नहीं, कोई नहीं

चंद क़दमों के निशाँ, हां, कभी मिलते हैं कहीं
साथ चलते हैं जो कुछ दूर फ़क़त चंद क़दम
और फिर टूटके गिर जाते हैं ये कहते हुए
अपनी तन्हाई लिये आप चलो, तन्हा, अकेले,
साथ आये जो यहाँ, कोई नहीं, कोई नहीं—

किस क़दर सीधा, सहल साफ़ है रस्ता देखो

अकेले

टुकड़ा इक नज़्म का
दिन भर मेरी सांसों में सरकता ही रहा
लब पे आया तो ज़बां कटने लगी
दांत से पकड़ा तो लब छिलने लगे
ना तो फेंका ही गया मुंह से, ना निगला ही गया
कांच का टुकड़ा अटक जाए हलक़ में जैसे

टुकड़ा वो नज़्म का सांसों में सरकता ही रहा

किरचें

वो शब जिसको तुमने गले से लगाकर
मुक़द्दस लबों की हसीं लोरियों में
सुलाया है सीने पे हर रोज़
लंबी कहानी सुनाकर

वो शब—
वो शब जिसकी आदत बिगाड़ी थी तुमने

वो शब आज बिस्तर पे औंधी पड़ी रो रही है

फ़िराक़

दिल में ऐसे ठहर गये हैं ग़म
जैसे जंगल में शाम के साये
जाते-जाते सहमके रुक जायें
मुड़के देखें उदास राहों पर
कैसे बुझते हुए उजालों में
दूर तक धूल-धूल उड़ती है

शाम

सुर वही, साज़ों पे चलती हुई आवाज़ वही
हाँ, वही रंग है, महकी हुई ख़ुशबू भी वही
अब भी शाख़ों पे वही शबनमी क़तरे-क़तरे
अब भी चलती है सबा पत्तों पे पाँव रखकर
झुकके पानी में तका करती है चेहरा, लेकिन

एक सुर और भी है,
तेरी आवाज़ से लटका हुआ खामोशी का सुर

एक और सुर

खिड़कियाँ बंद हैं दीवारों के सीने ठंडे
पीठ फेरे हुए दरवाज़ों के चेहरे चुप हैं
मेज़-कुर्सी है कि ख़ामोशी के धब्बे जैसे
फ़र्श में दफ़्न हैं सब आहटें सारे दिन की
सारे माहौल पे ताले-से पड़े हैं चुप के

तेरी आवाज़ की इक बूँद जो मिल जाये कहीं
आख़री सांसों पे है रात-ये बच जायेगी

ख़ामोशी

पूर्णमाशी की रात जंगल में
जब कभी चाँदनी बरसती है
पत्तों में टिक्लियाँ-सी बजती हैं

पूर्णमाशी की रात जंगल में
नीले शीशम के पेड़ के नीचे
बैठकर तुम कभी सुनो, 'जानम',
चाँदनी में धुली हुई मद्धम
भीगी-भीगी उदास आवाज़ें
नाम लेकर पुकारती हैं तुम्हें

कितनी सदियों से ढूँढती होंगी
तुमको ये चाँदनी की आवाज़ें

चाँदनी

तुम्हारे होंटों को ठंडी-ठंडी तलावतें
झुकके मेरी आँखों को छू रही हैं
मैं अपने होंटों से चुन रहा हूँ तुम्हारी साँसों की आयतों को
कि जिस्म के इस हसीन काबे पे रूह सजदे बिछा रही है

वो एक लम्हा बड़ा मुक़द्दस था जिसमें तुम जन्म ले रही थीं
वो एक लम्हा बड़ा मुक़द्दस था जिसमें मैं जन्म ले रहा था
ये एक लम्हा बड़ा मुक़द्दस है जिसको हम जन्म दे रहे हैं

ख़ुदा ने ऐसे ही एक लम्हें में सोचा होगा—
हयात तख़लीक़ करके लम्हे के लम्स को जाविदाँ भी कर दे

तख़लीक़

क़ुरान हाथों में लेके नाबीना इक नमाज़ी
लबों पे रखता था, दोनों आँखों से चूमता था
झुकाके पेशानी यूँ अक़ीदत से छू रहा था
जो आयतें पढ़ नहीं सका उनके लम्स महसूस कर रहा हो
मैं हैराँ-हैराँ गुज़र गया था
मैं हैराँ-हैराँ ठहर गया हूँ

तुम्हारे हाथों को चूमकर, छूके अपनी आँखों से आज मैंने
जो आयतें पढ़ नहीं सका, उनके लम्स महसूस कर लिये हैं

स्पर्श

सितारे लटके हुए हैं तागों से आस्माँ पर
चमकती चिंगारियाँ-सी चकरा रही आँखों की पुतलियों में
नज़र पे चिपके हुए हैं कुछ चिकने-चिकने-से रोशनी के धब्बे
जो पलकें मूँदूँ तो चुभने लगती हैं रोशनी की सफ़ेद किरचें

मुझे मेरे मख़मली अंधेरों की गोद में डाल दो उठाकर
चटकती आँखों पे घुप अँधेरों के फाये रख दो
ये रोशनी का उबलता लावा न अंधा कर दे

राहत

साँस की कँपकँपी नहीं जाती
ज़ख़्म भरते नहीं हैं आँखों के
दर्द के एक-एक रेशे को
खींचकर यूँ उधेड़ता है दिल
जिस्म की एड़ियों से चोटी तक
तार-सा इक निकलता जाता है
चीख़ भींचे हुए हूँ दाँतों में

तुमने भेजा तो है सहेली को
जिस्म के ज़ख़्म देख जायेगी
रूह का दर्द कौन देखेगा ?

शिकायत

आदमी बुलबुला है पानी का
और पानी की बहती सतह पर
टूटता भी है, डूबता भी है
फिर उभरता है, फिर से बहता है

न समंदर निगल सका इसको
न तवारीख़ तोड़ पायी है

वक़्त की मौज पर सदा बहता
आदमी बुलबुला है पानी का

सबात

औज़ार कोई
तरकीब कोई
न जाने कहाँ क्या अटका है
न जाने कहाँ क्या 'जाम' हुआ
ये रात कि बंद होती ही नहीं
ये दिन है कि उफ़ खुलता ही नहीं

औज़ार कोई
तरकीब कोई

जकड़न

खोलकर बाँहों के दो उलझे हुए-से मिसरे
हौले से चूमके दो नींद से छलकी पलकें
होंट से लिपटी हुई ज़ुल्फ़ को मिन्नत से हटाकर
कान पर धीमे से रख दूँगा जो आवाज़ के दो होंट
मैं जगाऊँगा तुम्हें नाम से 'सोनाँ—ओए सोनाँ !'

—और तुम धीरे से जब पलकें उठाओगी ना, उस दम
दूर ठहरे हुए पानी पे सहर खोलेगी आँखें
सुबह हो जायेगी तब, सुबह ज़मीं पर

गुड मॉर्निंग

मेरी गोदी में पड़ा, रात की तन्हाई में अक्सर
जिस्म जलता है तिरे जिस्म को छूने के लिए
हाथ उठते हैं तेरी लौ को पकड़ने के लिए
साँसें खिंच-खिंचके चटख़ जाती हैं तागों की तरह
हाँप जाती है बिलखती हुई बाँहों की तलाश

और हर बार यही सोचा है तन्हाई में मैंने
अपनी गोदी से उठाकर यह तेरी गोद में रख दूँ
रुह की आग में ये आग भी शामिल कर दूं

लौ

चौदहवीं रात के इस चाँद तले
सुरमई रात में साहिल के क़रीब
दूधिया जोड़े में आ जाये जो तू
ईसा के हाथों से गिर जाये सलीब
बुद्ध का ध्यान चटख़ जाये, क़सम से
तुझको बरदाश्त न कर पाये ख़ुदा भी

दूधिया जोड़े में आ जाये जो तू
चौदहवीं रात के इस चाँद तले

हुस्न

सिर्फ़ एहसास कि तुम पास हो, बस
सिर्फ़ एहसास कि नज़दीक हो तुम

अनगिनत लोगों में घबरायी हुई
अजनबी आँखों से लजायी हुई
तन पे लगती है चिपकती आँखें
बर्फ़-सी ठंडी, सुलगती आँखें
अनगिनत नज़रों में उलझा, लिपटा
अनगिनत चेहरों में रक्खा चेहरा
सैकड़ों तागों में उलझायी हुई
सहमी सिमटी हुई, शरमायी हुई

सिर्फ़ एहसास है कि पास हो तुम
सिर्फ़ एहसास कि नज़दीक हो, बस

एहसास

एक लम्स
हल्का सुबुक
और फिर लम्स-ए-तवील—
दूर उफ़क़ के नीले पानी में उतरे जाते हैं तारों के हुजूम
और थम जाते हैं सय्यारों की गर्दिश के क़दम
ख़त्म हो जाता है जैसे वक़्त का लंबा सफ़र
तैरती रहती है इक ग़ुंचे के होंटों पे कहीं
एक बस निथरी हुई शबनम की बूँद

तेरे होटों का बस इक लम्स-ए-तवील
तेरी बाँहों की बस एक संदली गिरह

बोसा

कहाँ छुपा दी है रात तूने
कहाँ छुपाये हैं तूने अपने गुलाबी हाथों के ठंडे फाये
कहाँ हैं तेरे लबों के चेहरे
कहाँ है तू आज—तू कहाँ है ?

ये मेरे बिस्तर पे कैसा सन्नाटा सो रहा है ?

तन्हा

ठंडी साँसें न पालो सीने में
लंबी साँसों में साँप रहते हैं
ऐसी ही एक साँस ने इक बार
डस लिया था हसीं क्लियोपेत्रा को

मेरे होंटों पे अपने लब रखकर
फूँक दो सारी साँसों को 'बीबा'

मुझको आदत है ज़हर पीने की

आह !

बहुत-से हाथ उतरने लगे हैं कंधों पर
बहुत-सी उँगलियाँ जुड़ने लगी हैं हाथों में
सलाम करते हैं वो लोग छूके माथे को
'वलाम' कहते थे जो सर की एक जुंबिश से
हँसी की राल टपकती है लोगों के मुँह से
खुलूस-ओ-शौक़ हथेली पे रखके लाते हैं
बड़े तपाक से मिलते हैं मिलनेवाले मुझे

हुई है तुझसे जो निस्बत उसी का सदक़ा है
वगरना....
'वगरना शहर में ग़ालिब की आबरू क्या है'

निस्बत

धूल-मिट्टी में अटा, हाँपा, थका, हुआ
शोर-ओ-ग़ुल जिस्म से लिपटा हुआ, झुँझलाया हुआ
साँस फूली हुई, झुलसा हुआ, कुम्हलाता हुआ
भागता-दौड़ता दीवारों से टकराता हुआ

रात के आने से पहले ही कहीं, काश, ये दिन
गिर के मर जाये किसी ठंडे-से साहिल के क़रीब
रात आयेगी तो फिर ज़ख़्म कुरेदेगी मेरे

एक दिन

एक ही ख़्वाब कई बार यूँ ही देखा है मैंने
तूने साड़ी में उरस ली हैं मेरी चाबियाँ घर की
और चली आयी है बस यूँ ही मेरा हाथ पकड़कर
घर की हर चीज सँभाले हुए अपनाये हुए तू

तू मेरे पास मेरे घर पे, मेरे साथ है 'सोनूँ'

मेज़ पर फूल सजाते हुए देखा है कई बार
और बिस्तर से कई बार जगाया भी है तुझको
चलते-फिरते तेरे क़दमों की वो आहट भी सुनी है

गुनगुनाती हुई निकली है ग़ुसलखाने से जब भी
अपने भीगे हुए बालों से टपकता हुआ पानी
मेरे चेहरे पर छटक देती है तू सोनूँ की बच्ची

फ़र्श पर लेट गयी है तू कभी रूठ के मुझसे
और कभी फ़र्श से मुझको भी उठाया है मनाकर
ताश के पत्तों पे लड़ती है कभी खेल में मुझसे

और कभी लड़ती भी ऐसे है कि बस खेल रही है
और आग़ोश में नन्हें को....

और मालूम है ? जब देखा था ये ख़्वाब तुम्हारा
अपने बिस्तर पे मैं उस वक़्त पड़ा जाग रहा था

एक ख़्वाब

नंगी बेबाक धूप में दिन-भर
कोड़े बरसाता हूँ ग़ुलामों पर
बेचता हूँ, ख़रीदता हूँ उन्हें

मुँह उठाकर हवेलियों की तरफ़
अपने आक़ाओं की अना के लिए
ख़ुद को नीलाम करके हँसता हूँ

नंगी बेबाक धूप में दिन-भर
करता रहता हूँ सौदे-समझौते
और तन्हाइयों में फिर शब-भर
मुँह छुपाकर सिसकता रहता हूँ

एक भी है अनेक भी आदम
एक चेहरे में कितने चेहरे हैं

नक़ाब

ये गोल सिक्के, दमकते हुए खनकते हुए
किसी पे मोहरा हुआ एक राजा का चेहरा
किसी पे मोहरी हुई एक रानी की तसवीर

हर इक की पुश्त पे औक़ात उसकी लिखी है
ये हाथों-हाथ लिये जाते हैं जहाँ जायें

बचाके रखना तुम अपनी ख़ुदी के चेहरे को
ये मिट गया तो गिनाएंगे खोटे सिक्कों में

ख़ुदी

गोल गुंबद है, बहुत ऊँचा, बड़ा ऊँचा-सा गुंबद
और इस ऊँचे बहुत ऊँचे-से लोहे के फ़लक पर
टाँग रक्खा है दहकता हुआ इक आग का पत्थर
पहरों जलता है तो इक बूँद पिघलती है कहीं
आग से टूटी हुई, पिघली हुई आग की बूँद

बूँद गिरती है तो इक गूँज-सी उठती है ख़ला में
और इक लम्हा गिरा, लम्हा गिरा वक़्त से कटकर
आग से टूटा हुआ, पिघला हुआ, आग-सा लम्हा

पल-पल

सफ़ेद बिस्तर पे एक मय्यत पड़ी हुई है
जिसे कि दफ़नाना भूलकर लोग चल दिये हैं
कि जैसे मेरा दफ़न-कफ़न उनका हिस्सा न था

वो लोग लौटें
वो देखें, पहचानें
दफ़्न कर दें तो साँस आये

जनाज़ा

धूप की गर्द को जब पोंछके पंखों से परिंदे
आशियानों की तरफ़ लौटके आते हैं ज़मीं पर
और पलकों की तरह शाम उतरती है फ़लक से
रात आती है बुझा देती है सब रंगों के चेहरे

अपने दरवाज़े पे इक लौ का लगा देता हूँ टीका
तुम अगर लौट के आओ
तो ये दरवाज़ा न भूलो

उम्मीद

मैंने रक्खी हुई हैं आँखों पर
तेरी ग़मगीन-सी उदास आँखें
जैसे गिरजे में रक्खी ख़ामोशी
जैसे रहलों पे रक्खी अंजीलें

एक आँसू गिरा दो आँखों से
कोई आयत मिले नमाज़ी को
कोई हर्फ़-ए-कलाम-ए-पाक मिले

गुज़ारिश

आओ तुमको उठा लूँ कंधों पर
तुम उचककर शरीर होंटों से
चूम लेना ये चाँद का माथा

आज की रात देखा ना तुमने
कैसे झुक-झुकके कोहनियों के बल
चाँद इतना क़रीब आया है

शरारत

जब जब पतझड़ में पेड़ों से पीले पीले पत्ते
मेरे लॉन में आकर गिरते हैं
रात को छत पर जाके मैं आकाश को तकता रहता हूँ
लगता है कमज़ोर सा पीला चाँद भी शायद
पीपल के सूखे पत्ते सा
लहराता-लहराता मेरे लॉन में आकर उतरेगा

पतझड़

उठके जाते हुए पंछी ने बस इतना ही देखा
देर तक हाथ हिलाती रही वो शाख़ फ़िज़ा में

अलविदा कहने को, या पास बुलाने के लिए ?

क्या पता कब, कहाँ से मारेगी
बस, कि मैं ज़िंदगी से डरता हूँ

मौत का क्या है, एक बार मारेगी
त्रिवेणी

सब पे आती है सबकी बारी से
मौत मुंसिफ़ है कम-ओ-बेश नहीं

ज़िंदगी सब पे क्यों नहीं आती

कौन खायेगा किसका हिस्सा है
दाने-दाने पे नाम लिखा है

'सेठ सूदचंद मूलचंद आक़ा'

त्रिवेणी

उफ़ ! ये भीगा हुआ अख़बार
पेपर वाले को कल से चेंज करो

'पाँच सौ गाँव बह गये इस साल'

त्रिवेणी

चौदहवें चाँद को फिर आग लगी है, देखो
फिर बहुत देर तलक आज उजाला होगा

राख हो जायेगा तो कल फिर से अमावस होगी

त्रिवेणी

रात के पेड़ पे कल ही देखा था
चाँद, बस, पकके गिरने वाला था

सूरज आया था, ज़रा उसकी तलाशी लेना

हाथ मिला कर देखा और कुछ सोच के मेरा नाम लिया
जैसे ये सरवर्क़ किसी नॉवेल पर पहले देखा है—

रिश्ते कुछ बस बंद किताबों में ही अच्छे लगते हैं

त्रिवेणी

गोली, बारूद, आग बम, नारे
बाज़ी आतिश की शहर में गर्म है

बंध खोलो कि आज सब 'बंद' है

त्रिवेणी

ज़ुल्फ़ में यूँ चमक रही है बूँद
जैसे बेरी में तन्हा इक जुगनू

क्या बुरा है जो छत टपकती है

शाम से शमा जली देख रही है रस्ता
कोई परवाना इधर आया नहीं, देर हुई

'सौत होगी मेरी, जो पास में जलती होगी'

त्रिवेणी

दिल को बालों से नोचता है सर
सर में नाख़ून खुबो रहा है दिल

अज़ल के दोस्त ये, अज़ल से दुश्मन हैं

सामने आए मिरे, देखा मुझे, बात भी की
मुस्कुराए भी पुरानी किसी पहचान की ख़ातिर

कल का अख़बार था, बस देख लिया, रख भी दिया

त्रिवेणी

अंधी आँखों पे तुमने अच्छा किया
हाथ रखके जो रोशनी दे दी

तेरे हाथों में खुल गये दो जहाँ

इतने लोगों में, कह दो आँखों को
इतना ऊँचा न ऐसे बोला करें

लोग मेरा नाम जान जाते हैं

कहीं मिट्टी उछलती है, कहीं कंकर छिटकता है
कि ठुड्डे मारती चलती हैं राहों में हवाएँ

अजब लड़कों-सी लगती हैं ये दोशीज़ा अदाएँ

रोज़ उठकर चाँद टाँगा है फ़लक पे रात को
रोज़ दिन की रोशनी में रात तक आया किये

हाथ-भर के फ़ासले को उम्र-भर चलना पड़ा

साँवले साहिल पे गुलमोहर का पेड़
जैसे लैला की माँग में सिंदूर

धर्म बदला गया बेचारी का

फ्रॉक उठाकर पोंछ रही थी मुन्नी आँख से काजल
टॉर्च जलायी मुन्ने ने, आह, ये क्या, चौंक गयी

सूरज से शरमा गयी, देखा, नन्ही-मुन्नी सुबह

त्रिवेणी

बस, हवा ही भरी है गोलों में
सूई चुभ जाये तो! पिचक जायें

लोग गुस्से में बम नहीं बनते

त्रिवेणी

हमको ‘ग़ालिब’ ने यूँ दुआ दी थी
‘तुम सलामत रहो हज़ार बरस’

ये बरस तो बस दिनों में गया

त्रिवेणी

माँ ने इक चाँद-सी दुल्हिन की दुआएँ दी थीं

आज की रात जो फुटपाथ से देखा मैंने
रात-भर रोटी नज़र आया है वो चाँद मुझे

त्रिवेणी

हाथ में लेकर बैठा था मैं दिन का ख़ाली कासा
रात भिखारिन चाँद की कौड़ी देकर चली गयी

और भिखारी कर गयी मुझको, देखा, एक भिखारिन

त्रिवेणी

ज़रा पकड़ लो इसे, खींचो और तानो ज़रा
फ़लक को कसके, चलो, बाँध दें ऊपर

ख़ुदा के ठुड्डे से टूटे न सर पे अब के फ़लक

त्रिवेणी

ख़याल फेंका है रफ़्तार-ए-बेपनाह के साथ
ख़ुदा को पहुँचे या उससे परे निकल जाये

कि उसके बाद जो पहुँचा तो मुझ तक आयेगा

शाम गुज़री है बहुत पास से होकर लेकिन
सर पे मँडलाती हुई रात से जी डरता है

सर चढ़े दिन की इसी बात से जी डरता है

त्रिवेणी

आओ, सारे पहन लें आईने
सारे देखेंगे अपना ही चेहरा

रूह ? अपनी भी किसने देखी है !

त्रिवेणी

सर पे चिल्लाती हुई धूप का सुनसान पहर है
और इक शोला-ज़ुबाँ देव फ़लक चाट रहा है
दूर इक सूखे हुए पेड़ पे इक चील का साया
ख़ुश्क आँखों से यह बेकैफ़ ख़ला तोल रहा है
अपने पर तोलके,
कुछ सोचके, फिर तोलता है
किस तरफ़ ? किसके लिए ? किसके लिए ? किसके लिए ?

सर पे चिल्लाती हुई धूप का सुनसान पहर है

एक स्केच

गोल फूला हुआ सूरज का ग़ुब्बारा थककर
एक नोकीली पहाड़ी पे यूँ जाके टिका है
जैसे उँगली पे मदारी ने उठा रक्खा है गोला

फूँक से ठेलो तो पानी में उतर जायेगा नीचे
भक से फट जायेगा फूला हुआ सूरज का ग़ुब्बारा
छन-से बुझ जायेगा इक और दहकता हुआ दिन

एक और स्केच

इक घना पेड़ है जिसकी घनी छाँव में
धूप उतरती है तो उतना सी ज़मी पर जैसे
सैंकड़ों लफ़्जों के सिक्के से बिखर जाते हैं
गोल, चोकोर, चमकदार, तलाई सिक्के,
जाने क्या लिखती है छाँव में पड़ी धूप वहां

मैं भी उस पेड़ की छाँव में गया हूँ बरसों
और भर लेता था इन सिक्कों से जेबें अपनी
और तनहाई को पहलू में बिठाकर अकसर
पहरो आहंग सुना करता था उन सिक्को की

उनपे उभरे हुए चहरों को पढ़ा करता था
कोई अफ़साना सुनाता था, कोई नज़्म कभी
अदब-ओ-शेर के गुलशन में बहुत ज़िक्र सुना है
उसकी घनी छाँव का-

अब भी जाता हूँ मैं जब अपने सख़ी पेड़ के पास
तो वो भर देता है झब से मेरी ख़ाली झोली
नई नज़्मो, नई गज़लो, नए अफ़सानों से
वो सख़ी पेड़ मेरा दोस्त, मेरा बाबा है
वो जिसे लोग बड़े प्यार से कहते हैं 'नदीम'

पोर्ट्रेट ऑफ बाबा

शाम के कोहरे में बहता हुआ ख़ामोश नदी का चेहरा
गंदुमी कोहरे में जलते हुए आँखों के चिराग़
इक लगातार सुलगता हुआ सिगरेट का धुआँ
नींद में डूबी हुई दूर की मद्धम आवाज़

अजनबी ख़्वाबों के उड़ते हुए सायों के तले
मोम की तरह पिघलते हुए चेहरे के नक़्श
हर नये ख़्वाब की धुन सुनके बदल जाते हैं
ऐसा लगता है न सोयेगा, न जागेगा, न बोलेगा कभी
शामके कोहरे में बहता हुआ ख़ामोश नदी का चेहरा

पोर्टरेट ऑफ बिमल राय

कँपकँपाती हुई तालाब के पानी की सतह
सूत के तागों से बाँधे हुए सैलाब का शोर
हलकी-सी ज़र्ब से झन्नाके बज उठते हैं
तेज़ चाकू से तराशे हुए चेहरे के नुकूश
मुज़्तरिब चेहरे पे उड़ते हुए आँखों के हुरूफ़
इक तजस्सुस में हैं, लगता है किसी लमहे भी
अपने इस सफ़्हे से घबराके ये उड़ जायेंगे

अपने ही आप से घबराके न छूट जाये कहीं
ख़ुद से उलझी हुई परवाज़ कभी

पोर्ट्रेट ऑफ सलिल चौधरी

बल्लीमाराँ के मोहल्लों की वो पेचीदा दलीलों की-सी गलियाँ
सामने टाल के नुक्कड़ पे, बटेरों के क़सीदे
चद दरवाज़ों पे लटके हुए बोसीदा-से कुछ टाट के परदे
और धुँधलायी हुई शाम के बेनूर अँधेरे साए
ऐसे दीवारों से मुँह जोड़ के चलते हैं यहाँ
चूड़ीवालान के कटरे की 'बड़ी बी' जैसे
अपनी बुझती हुई आँखों से दरवाज़े टटोले

इसी बेनूर अँधेरी-सी 'गली क़ासिम' से
एक तरतीब चराग़ों की शुरू होती है
एक कुरान-ए-सुख़न का भी वर्क़ खुलता है
'असद उल्लाह ख़ाँ ग़ालिब' का पता मिलता है

पोर्ट्रेट ऑफ ग़ालिब

तूत् की शाख़ पे बैठा कोई
बुनता है रेशम के तागे
लम्हा-लम्हा खोल रहा है
पत्ता-पत्ता बीन रहा है
एक-एक साँस बजाकर सुनता है सौदाई
एक-एक साँस को खोलके अपने तन पर लिपटाता जाता है

अपनी ही साँसों का क़ैदी
रेशम का ये शायर इक दिन
अपने ही तागों में घुटकर मर जायेगा

पोर्ट्रेट ऑफ ए पोयट

खेत के सब्ज़े में बेसुध सी पड़ी है दुबकी
एक पगडंडी की कुचली हुई अधमुई-सी लाश
तेज क़दमों के तले दर्द से कराहती है
दो किनारों पे जवाँ सिट्टों के चेहरे तककर
चुप-सी रह जाती है ये सोचके बस

'यूँ मेरी कोख कुचल देते न राहगीर अगर
मेरे बेटे भी जवाँ हो गये होते अब तक
मेरी बेटी भी तो अब ब्याहने के क़ाबिल होती'

पोर्टरेट ऑफ ए प्रोस्टीट्यूट

नाम सोचा ही ना था, है कि नहीं
'अमाँ' कहके बुला लिया इक ने
'ए जी' कहके बुलाया दूजे ने
'अबे ओ' यार लोग कहते हैं
जो भी यूँ जिस किसी के जी आया
उसने वैसे ही बस पुकार लिया

तुमने इक मोड़ पर अचानक जब
मुझको 'गुलज़ार' कहके दी आवाज़
एक सीपी से खुल गया मोती
मुझको इक मानी मिल गये जैसे

आह, यह नाम ख़ूबसूरत है
फिर मुझे नाम से बुलाओ तो !

सेल्फ पोर्ट्रेट

यूँ भी कभी हुआ है, अकेली-सी शाम में
धुँधले-से इक चिराग़ के चेहरे के पास-पास
सरगोशियाँ-सी ढूँढते हैं जब तुम्हारे होंट

आँखों में यूँ बिलकके मचलती है एक बूँद
जैसे यतीम होटों पे मचले तुम्हारा नाम

याद

माने

अंजाम—नतीजा
अंजीलें—बाइबल
अक़ीदत—श्रद्धा
अब्र—बादल
अजज़ा—तत्व
अज़ीम—महान
अना—अहंभाव
अरज़-ओ-तूल—चौड़ाई और लंबाई, विस्तार
अश्कों—आँसू

आग़ोश—गोद
आतिश—आग
आतिश-फिशाँ—ज्वालामुखी
आयतें—कुरान के वाक्य
आवेज़ा—कान का कुंडल
आशियानों—घोंसले
आहंग—सुर-ताल, समन्वय

इस्मत—शील, सतीत्व

उफ़क—क्षितिज

क़दीम—प्राचीन
कायनात—सृष्टि, ब्रह्मांड
किरदार—चरित्र
कुतबे—कब्र पर लगा हुआ पत्थर

कौड़ियालों—ज़हरीला साँप
कौसों —इंद्रधनुष (बहुवचन)

ख़लाओं—शून्य
ख़ुदी—स्वाभिमान
ख़ुऊस-ओ-शौक—हार्दिता और उत्सुकता

गुंचे-कली
गोशा-ए-दिल—दिल का कोना
गुल बदन —फूल जैसे शरीर वाली

जज़ीरो—द्वीप
जाविदाँ—अमर
जस्म—घंटा
ज़र्ब—चोट, आघात
जुनूँ—उन्माद

जुस्तजू—तलाश, कामना

टलियाँ—घंटियाँ

तकमील—पूर्णता
तख़लीक—सृजन
तजस्सुम—खोज
तलावतें—कुरान की आयतों का पाठ
तवारीख़—इतिहास
तस्की—शांति, तुष्टि
तसव्वुर—कल्पना
तसव्वुर-ए-जानाँ—प्रेयसी की कल्पना
तहलील—विलीन
तआक़ुब—शिकार, तलाश
तामीर—निर्माण

दरीचों — झरोखो
दामन-ए-शब — रात का आँचल
दीद — दर्शन
देव — राक्षस

नफ़्स — प्राणी
नशेमन — घोंसला
नाबीना — अंधा
निस्बत — संबंध
नेज़े — भाले

परचम — झंडा
परीवश—परी जैसा
परवाज़ — उड़ान
पस-ए-मंज़र — पृष्ठभूमि
पुरसूकूँ — शांतिपूर्ण
पेशानी — मस्तक
पैरहन — वस्त्र

फ़लक — आकाश

बर्क़ — बिजली
बदौलते-दिल — दल की वजह से
बर्फ़ाब — ठंडा
बहर-ए-ख़ुदा — भगवान के लिए
बियाबाँ — निर्जन
बेहिस — निश्चेत
बेहस-ओ-बेहरकत — संवेदनहीन और निश्चल

मजलिस-ए-शाम — संध्या की सभा
मिक़नातीस—चुंबक
मुज़्तरिब — बेचैन
मेख़ों — कीलों

मोतबर—सम्माननीय
माहताब—चाँद
मुकम्मल—पूरा
मुक़द्दस—पवित्र
मुन्तज़िर—प्रतिक्षा में
मुंतशिर—छिन्न-भिन्न, बिखरा हुआ
मुसलसल—लगातार

यतीम—अनाथ

रक़्स—नृत्य
रफ़्तार-ए-बेपनाह अपार गति
रवायत—प्रथा
रहलों—खुली किताब रखने के लिए दो तिरछे तख़्तों को आर-पार जोड़कर बनायी गयी टेक
रुख़सारों—कपोल

लम्स—स्पर्श
लम्स-ए-तवील—लंबा स्पर्श
लम्हा—क्षण

वस्त्र-ए-कायनात—सृष्टि का मध्य
वसीअ-तर—अधिक विस्तृत
वाक़िफ़—परिचित
वुसअत—विस्तार
वेकराँ—अनंत

शफ़क़— सूर्यास्त की लालिमा
शफ़्फ़ाफ़—निर्मल
शफ़ीक—स्नेहभरी
शोला-जुबाँ—आग की लपटों जैसी

जीभवाला
सबा — सुबह की ठंडी हवा
सदक़ा — न्योछावर करके दी गयी वस्तु
सदा — आवाज़
सय्यारों — ग्रह
सरगोशियों — चुपके-चुपके बातें करना
सलीब — सूली
सहर — सवेरा
सहरा — रेगिस्तान
साइंसदान — वैज्ञानिक
साहिल — किनारा, तट
सुकूँ — शांति
सुकूते-दर्द — पीड़ा की शांति
सुबुक — कोमल

हमवार — समतल
हर्फ़-ए-कलाम-ए-पाक — पवित्र ग्रंथ (कुरान) का अक्षर
हया — लाज
हयात — जीवन
हरसू — हर ओर
हामला — गर्भवती
हिज्र — विरह
हिनाई — मेंहदी-लगी
हुजूम — तारापुंज

पहचान